FOSSÉS D'AMOUR & D'INSOMNIES

DU MÊME AUTEUR

Georges Godin & Michaël La Chance, *Beckett. Entre le refus de l'art et le parcours mystique*, Hurtubise HMH & Castor Astral, coll. « L'atelier des modernes », Montréal et Paris, 1994.

Leçons d'orage, l'Hexagone, coll. « Poésies », Montréal, 1998.

Simon Harel, Alexis Nouss, Michaël La Chance (dirs), *L'Infigurable*, coll. « Bibliothèque », éd. Liber, Montréal, 2000.

Carnet du Bombyx, Chimera in vacuo bombinans. l'Hexagone, Montréal, 2000.

Les penseurs de fer, les sirènes de la cyberculture. Éditions Trait d'union, coll. « Spirale », Montréal, 2001.

Pierre Ouellet, Paul Chamberland, Georges Leroux, Michaël La Chance, *Poésie et politique, Mélanges offerts à Michel van Schendel*, l'Hexagone, Montréal, 2001.

La culture Atlantide. Éditions Fides, coll. « Métissages », Montréal, 2003.

Paroxysmes. La parole hyperbolique. Éditions Trait d'union, coll. « Le Soi et l'autre », Montréal, 2003.

MICHAËL LA CHANCE

FOSSÉS D'AMOUR & D'INSOMNIES

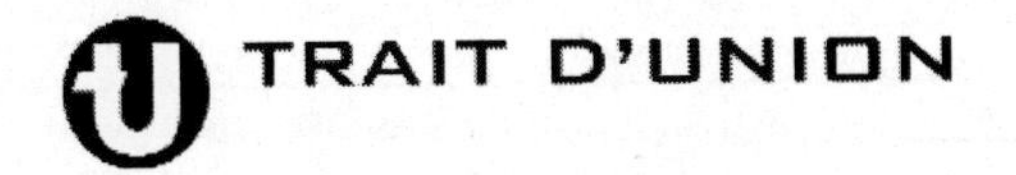

ÉDITIONS TRAIT D'UNION
284, square Saint-Louis
Montréal (Québec)
H2X 1A4
Tél. : (514) 985-0136
Téléc. : (514) 985-0344
Courriel : editions@traitdunion.net

Révision : Virginie Langlois
Mise en pages : André Chapleau
Maquette de la couverture : André Chapleau
Photographies : Michaël La Chance

Données de catalogage avant publication (Canada)
La Chance, Michaël, 1952-
Fossés d'amour et d'insomnies

Poèmes.
ISBN :2-89588-055-7
I. Titre.
PS8573.A277F67 2004 C841'.54 C2003-941656-9
PS9573.A277F67 2004

DISTRIBUTEURS EXCLUSIFS

POUR LE QUÉBEC ET LE CANADA
Édipresse inc.
945, avenue Beaumont
Montréal (Québec)
H3N 1W3
Tél. : (514) 273-6141
Téléc. : (514) 273-7021

POUR LA FRANCE ET LA BELGIQUE
D.N.M.
30, Gay-Lussac
75005 Paris
Tél. : 01 43 54 49 02
Téléc. : 01 43 54 39 15

Nous remercions le Conseil des Arts du Canada ainsi que le gouvernement du Canada (Programme d'aide au développement de l'industrie de l'édition) pour leur soutien financier.

Nous bénéficions d'une subvention d'aide à l'édition de la SODEC.

SODEC Québec

L'auteur remercie le Décanat des études de cycles supérieurs et de la recherche et le Fonds institutionnel de la recherche de l'Université du Québec à Chicoutimi

Canada

Pour en savoir davantage sur nos publications, visitez notre site
www.traitdunion.net

Dépot légal : 3e trimestre 2004
Bibliothèque nationale du Québec
Bibliothèque nationale du Canada
ISBN : 2-89588-055-7

LE FOSSÉ D'INSOMNIES
& L'ŒIL NAUFRAGEUR

LETTRES ACCORDÉES

LONG BEACH
& BABEL

LA NUDITÉ DE SOI

LA VIE EN MORCEAUX
CHANCEY & CHELOVEK

FEUX VIOLETS

J'ai nul besoin de Lumière —
Cet Amour de Toi — sera Prisme —
Excédant Violet —

Emily Dickinson

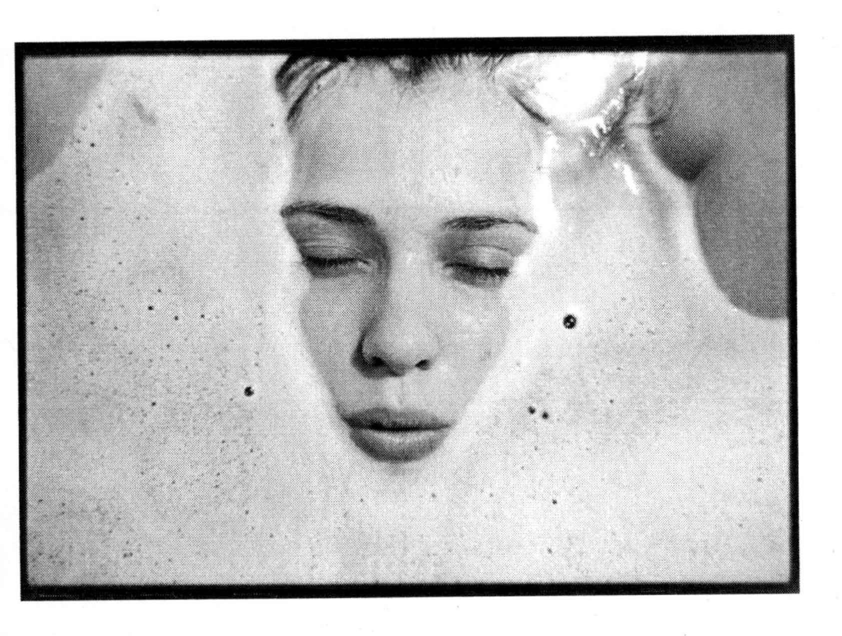

LE FOSSÉ D'INSOMNIE

Tout est encore à l'intérieur d'un sommeil illimité.

Philippe Jaccottet

I-IX

L'ŒIL NAUFRAGEUR

— I

Chaque regard est un éclair qui traverse la nuit. Une nuit par éclair et un éclair par nuit. Autrement tout le reste n'est que relief fuyant aux abords de la route. Tous les événements de la rue sont une partie de moi : de moi-même qui cherche à s'appartenir hors de moi-même. La gesticulation agressive, la précipitation indifférente, tous les dieux et démons sont déjà dans la foule. Le soir au café tout va très vite, des nouveaux arrivants aux attablés la conversation vire d'une table à l'autre, la lumière est plus vive, la fumée noie le souci du lendemain. Tous se blotissent par-dessus leurs verres, se réfugient dans l'intarissable banalité, comme si tout pouvait arriver d'un instant à l'autre, viendrait frapper à la vitre à petits coups.

Ce soir, peu de monde, le silence agrandit la pièce, on parle de celui qu'on a retrouvé, il y a deux heures à peine, cela faisait quatre jours qu'on ne l'avait pas vu au café. Les bribes de conversation couraient comme un souffle froid et lourd. Les bouteilles alignées sur le comptoir, empilées sur des étagères jusqu'au plafond, le prix au verre fiché sur des bouts de papiers jaunis, tout nous revient par volées. Les rillettes fatiguées dans leur plat, les boîtes de conserve aux étiquettes gaufrées par l'humidité. Tout cela se tasse un peu plus et prend prétexte de notre lassitude pour cribler notre humanité. Après le café, il était allé se tirer une balle dans la tête.

Plus tard, nous voyons les fourgons passer. Qui était-ce déjà, quand l'a-t-on vu la dernière fois, sa petite amie, sa solitude. Les remarques brûlent comme l'alcool mal avalé. Nous sommes tous là, auscultant l'idée d'en finir. Tout à coup, une complainte aiguë nous scie le ventre. Je ne peux en prendre davantage, mais ils sont tous à la fenêtre, tendus contre la vitre, dans la pente de la rue Lepic. Dans le bleu-violet qui happe la nuit par intermittence, les portes du fourgon coulissent, ils embarquent le chat. Ils ne pouvaient pas le laisser là, il n'a pas suivi son maître avec le déclic de la gâchette.

— II

Porte close reste longtemps inaperçue. Sur Abbesses, une boutique liquide sa marchandise. Les boîtes de chaussures s'empilent dans la vitrine. Sur la porte vitrée on a badigeonné à la chaux, en grosses lettres, deux mots : ENTRÉE LIBRE.

Un soir, en remontant en direction du Tertre, je vois le mot RÉEL sur tous les murs et sur le pavé. Je l'ai vu une première fois, je ne sais plus où, cette inscription a cautérisé ma mémoire. Ainsi, feuilletant un livre, on saisit un mot dans les pages qui tournent, mais on ne le retrouvera pas dans le mot à mot fastidieux de la lecture. Je reviens sur mes pas et découvre l'étalage qui retient l'ombre des lettres, les trois dernières lettres du premier mot RÉE et la première lettre du deuxième mot L de l'invitation à cette heure éclairée par le réverbère : ENTRÉE LIBRE.

Tant de portes fermées, elles restent inaperçues et nous ne savons même pas qu'elles sont closes. Entourées par l'hostilité aveugle des murs. Toujours dans l'ornière de la fatigue, nous passons la porte d'une officine marchande : on y entre libre, on y trouve le réel rangé dans de petites boîtes. Il en va autrement partout ailleurs, fluide, fluctuant, écoulement incessant, – *rhéel.*

— III

Quand sortirons-nous de la nuit fébrile où nous préméditons encore notre naissance ? Dispersés sur le gigantesque fossile, nous cherchons une ligne d'horizon qui ne serait pas d'avance dessinée par nos paralysies de l'œil, par une *rigor mortis* de l'esprit. Nous voulons connaître la joie profonde, prendre pied dans le monde. Nous attendons la promesse que nul ne saura tenir. Ceux qui nous font le plus mal sont les plus démunis d'inquiétudes, ils nous bousculent au passage parce qu'ils sont jetés.

Nous sortons dans la nuit les doigts noués, promis à la lumière par un geste si rare, les osselets du destin dans notre main. Les passants sont des vapeurs qui s'élèvent du trottoir, l'eau de nos rêves creuse ses canyons dans l'écorce terrestre chauffée à blanc par un gigantesque soleil. Chaque article des vitrines veut nous enseigner la soif. Chaque héros de devanture nous ramènera des profondeurs du temps qu'il fait. En attendant, le matin ne sait plus laver la rue des biles de la nuit, il en reste des coulées plus noires que goudron. On ne sait. La rue est une érosion cruelle, elle est le fond d'un océan desséché. Dresde bombardée au phosphore, Hiroshima atomisée, des abysses remontées.

L'hébétude des autres reste l'antidote de notre panique. Autrement, l'élan des jours ne s'épuise pas. Nous chaussons cette nouvelle journée, elle ne s'arrête pas pour l'étrangeté, elle ne prise pas l'inconnu, elle ne voisine pas le lointain, et pourtant elle est ici même ailleurs. La diversité de tous les visages m'est réminiscence d'un théâtre où tout est joué.

Étonné des autres, nous ne prenons pas la mesure de notre existence. Tous les jours sont les mêmes, dans la même résistance du réel. Depuis le centre de l'inertie humaine jusqu'à la périphérie de ses dérèglements, sans doute en quelque lieu sommes-nous attendus? Pour sortir de l'impasse du petit nombre qui s'accommode, un ciel d'asphalte éclaté sur la tête, un trottoir vacille, j'aperçois quelqu'un qui vient à ma rencontre.

Les premiers mots venus jettent un voile sur la réalité, se confondent avec ce qu'ils recouvrent dès la première scène. Il semble que les mots pourraient se combiner librement. Que tout serait possible dans un jeu sans pesanteur. Pourtant la résistance du réel façonne les volumes du langage. Parce que les mots et les choses sont soumis à une même pesanteur : l'impossibilité de dire exprime déjà la consistance des choses. Les jours seront toujours les jours et les hommes seront toujours ballottés au fond du canyon à la recherche du NU INT GRAL.

NU INTEGRAL
LIFE

— IV

Tout se donne à voir, rien n'échappe à notre évidence. Mais tout ce qui est vu ne l'est jamais que par une faille. Une rue se précipite à perte de vue. Je marche sur un fil que vient barbeler l'angoisse. Je lutte pour le prodige de l'équilibre. Si je suis à l'écart de tout c'est que j'ai besoin d'un balancier de plomb. Il me suffit de heurter quiconque et je chavire. Je passe mon chemin les yeux perdus dans le trottoir, comme les capsules de liqueur s'enfoncent dans le goudron de la rue l'été. Dans la rue Saint-Dominique, aux petites heures du matin, les camions apportent les volailles, entassées par milliers les unes sur les autres. La plupart sont déjà gelées dans leurs cages, elles ne se sont pas méritées un bâche pour faire la route en hiver.

Il y a ce monsieur, les mains nues sur le poteau, avec le froid elles y resteront collées, devant le dépanneur au coin, les genoux dans la mauvaise neige, sans doute ne veut-il pas tomber tout à fait. Il y a deux petites filles qui le regardent, l'une lui répète à l'oreille « ... il va arriver bientôt ». Pour les petites filles toutes ces choses sont à comprendre et elles s'y emploient avec solennité. Qu'est-ce que les grandes personnes peuvent bien ressentir puisqu'elles ne savent plus lire le plafond dans le noir? Il n'y a rien à comprendre, ce sont des choses qui arrivent à ceux pour qui plus rien ne peut arriver. Ce poteau, devant lequel il passait et repassait depuis toujours, est devenu un allié providentiel dans l'ivresse du monde qui tourne si vite, qui tourne plus vite encore. Quand les enfants essaient de comprendre la marche des choses, ils trébuchent. Pour nous cependant, il n'y a plus de sol pour arrêter notre chute, pour soutenir le pas et le trépas de l'être.

Je continue mon chemin, le menton enfoncé dans mon col. Des enfants du haut de leur escalier crient « miaou, miaou ». À cause de la fourrure de mon manteau. Cela faisait longtemps qu'il ne s'était fait entendre.

Au commencement il y a la souffrance. La souffrance s'est faite matière pour ne pas échapper à elle-même, pour se réserver de plus grands paroxysmes. Dans la cité des morts, chacun prie pour retarder sa décomposition. Ils ne peuvent pas aller plus loin parce qu'ils ont déjà passé outre. Chacun est au bout du rouleau, pris avec la gueule qu'il a. Ils comprennent enfin que c'est irréversible, ils acquièrent une certaine audace, ils s'élèvent jusqu'au vertige absolu. Il leur faut à chaque fois jouer ce qu'ils sont.

À force de vivre dans le canyon, notre peau est devenue de caoutchouc. Les bruits de la ville couvrent le grésillement des entrailles carbonisées. Une braise nous consume du dedans, c'est une plaque d'égoût par laquelle tout disparaît. Les piétons pourront disparaître par trains entiers. Crachats, encore crachats.

— V

De ma première année d'école, au Georges V, je me souviens des tabliers bleus, des mains sur la tête, des encriers crachant leur sirop violet, des grilles de fer autour des arbres dans la cour et du préau qui dessinait son carré sec les jours de pluie. C'est tout. Ma pomme tombée dans le caniveau m'avait laissé inconsolable.

Une fois je suis tombé tête première sur un trottoir si dur que j'ai cru l'emporter avec moi lorsque je me suis relevé. J'ai longtemps eu la masse dure et lourde du trottoir sur ma tête. Cette chute a rebondi longtemps avant de s'estomper, comme une balle perdue au fond du jardin.

J'étais pensionnaire au Grand Colombier où les murs de pierres sèches laissaient paresser les lézards. Un gamin avait parié qu'il pourrait toucher les fils électriques avec sa boule de pétanque, elle est retombée sur ma tête, par ricochet Dieu soit loué, tandis que je rêvais à des cités englouties dans le sable. Quelques instants, je suis devenu cloche de plomb.

Un jour j'ai voulu gravir le mur où se perchaient les pintades de la ferme voisine. Comme j'arrive au faîte, je descelle une pierre que je reçois sur le front. J'ai repris conscience non pas en bas du mur mais loin de là, de l'autre côté du jardin où j'étais allé voir si la fermentation de mes bulbes d'iris rendait son parfum. Je ne ressentais pas tant une douleur physique qu'une crispation mentale qui me faisait développer un effort de conscience pour annihiler la conscience.

Plusieurs de ces épisodes de mon enfance se sont passés au même endroit, pourtant mes souvenirs n'en font pas un même lieu.

N'ayant pas de mémoire pour les récitations de poésie, je n'avais pas droit aux récréations. Par la porte vitrée de la salle de classe, je voyais mes camarades jouer dehors. Je restais là des heures, trop hébété pour me savoir misérable, les pensées perdues dans la poussière d'or qui dansait devant la fenêtre. La pensée annihilée par l'évidence matérielle qui arrête le regard. Les poussières, avec mes pensées, s'agitaient en tout sens avant de remonter abruptement dans l'éclair par lequel toutes les choses sont simultanées. *Un éclair par nuit et une nuit par éclair.*

Plus tard, subitement la mémoire m'est venue quand on m'a confié des rôles au théâtre, quand j'ai lu que les blessés à mort tombent au sol du côté de leur blessure. Comme pour un bouche-à-bouche de la terre et des corps.

L'enfant que j'étais refusait d'être le témoin de sa tristesse. Je ne sais pas tout ce dont, par bonheur, je ne me souviens pas. Par contre, je me souviens d'une fontaine que je croyais sacrée, dans la cour du Grand Colombier, comme seuls peuvent vénérer le sacré ceux qui n'en connaissent pas le mot. Dans la montagne il y avait des villages abandonnés, des maisons désertées, une menace invisible. Je me demandais combien de temps on pourrait tenir dans la vallée, pourquoi la montagne ne venait pas nous engloutir. Longtemps après j'ai reconnu ces montagnes dans les paysages de Balthus, il en avait saisi la menace tranquille. Et j'ai compris que j'avais vécu là, dans l'après-midi interminable de ses tableaux.

Les pierres de l'ancien monastère étaient noires, à force de donner refuge au passé. Aujourd'hui, avec chaque nouveau visage, je suis reconnaissant que ce monde soit habité.

Aujourd'hui le paradis est un mur qui s'effrite pour libérer le ciel, — c'est une fenêtre sur un toit.

— VI

Au fond du creuset d'humanité, une vacillation du regard se substitue au face à face. Il faut se ressourcer dans les lueurs du matin. Sinon, la paupière s'appesantit sur un œil plus blanc qu'une tripe de rat.

Le charbonnier était bien seul ce matin, la lumière ne gagnait ses yeux que par des orifices bien ronds dans son visage barbouillé. Dans la rue en pente, les sacs tombés du camion, s'entassent dans le caniveau. Les boulets de charbon éclaboussent partout, se réfugient sous les véhicules. Coulées orphelines qui cherchent à retrouver la Nuit. Pendant qu'il redresse des sacs, d'autres retombent, la fleur minérale n'a pas fini de répandre son pollen noir sur le pavé. Les charbons roulent, rebondissent, pour aller soudainement se caler contre l'Immobile, comme une subite pourriture, bubons pestilentiels surgis des souterrains de Montmartre. L'homme se trouvait moins crâneur, implorant le trottoir pour qu'il oppose sa grisaille à cette bourrasque, pour qu'enfin tout repose de nouveau dans une lumière implacable, celle de la journée de travail à accomplir. Ils auraient été deux, l'un aurait trouvé dans les yeux de l'autre les enfilades de rues, les grands boulevards à perte de vue, les quartiers où ils font leur livraison. Mais pour l'instant le charbonnier est accablé par cette apathie où tous les événements sont relégués au détail. La déclinaison de la rue n'est qu'un écart du temps qui se rebelle, qui sabote une tâche journalière à remplir. La rechute des sacs qui répandent leur contenu ne participe pas d'un destin. Les poches boursouflées libèrent leur frénésie et percutent la rue Garreau comme la remontée d'un néant.

Le soir je me surprends à regarder l'obscurité, sans penser à rien. Combien de temps suis-je resté là les yeux ouverts ?

Les images ne persistent pas, leurs crécelles ne se font pas entendre dans les machines de la raison, elles ne colmatent pas les vides laissés par l'inquiétude. Les choses s'effritent dans une prolifération de détails, elles ont leur raison d'être méconnues, c'est leur passion secrète.

— VII

Il y a les charbonniers, il y a aussi tous les marchands d'obscurité, – dans le détail. Contre l'air entendu avec lequel ils ajoutent aux méandres d'un labyrinthe de fer, je voudrais leur soumettre l'énigme. Lorsqu'ils mordent le fruit, savent-ils que le meilleur du goût c'est le sang de la bouche libre de tout souci ? Peut-on avoir dans la bouche la saveur incomparable de l'absence du mal ? C'est la noblesse de la joie de ne pas faire oublier les douleurs, comme la doublure de satin rouge de l'habit du roi. Parce que c'est dans la joie que l'on se rappelle notre angoisse sans trop frémir. Alors que dans le malheur on rentre sa souffrance en soi-même. Toutes les nuits l'homme enfouit sa rage plus profondément dans son sommeil. Lorsqu'on le voit si dignement dressé le lendemain, peut-on douter combien de fois il a dû se fouetter dans son cauchemar de la veille ? Le lendemain n'est qu'un rêve ébloui sous une paupière endeuillée.

La diversité des modes de vie ne démultiplie pas le réel mais le cimente en une écorce unique. Alors le ciel surgit par-dessus les toits pour rappeler que tout peut être délimité précisément, comme un ciel détoure nos façades à contre-jour.

Le métro offre la possibilité de surgir à n'importe quel point de la ville, avec pour seule épreuve de la distance le trajet de l'œil sur la carte. Dans la secousse et le ahanement de la rame, le regard se vide, fermé à tout contact, l'âme se retranche, afin de ne pas risquer la compromission d'un sourire. Chaque fois qu'il entre sous terre, un quartier se désagrège, un autre bientôt surgira. La ville se trouve ainsi convoquée dans les fractions les plus infimes de la seconde, à la rencontre de l'entrecroisement des points de vue, dans l'illusion qu'elle existe toute entière d'un seul tenant. Dans ses couloirs souterrains, par l'enchevêtrement des tunnels, la ville trame l'abolition des distances, abroge sa condition terrestre, sacrifie le ciel.

L'homme des villes est impassible, ses pieds ne quittent plus les trottoirs. Il ne craint aucun débordement, il ne connaît que les trahisons. Par l'ossification de ses gestes, l'omoplate blanchie et poreuse du quant-à-soi, il est squelette. Je suis moi-même un fantôme, je m'arrange assez bien avec cette idée depuis que j'ai réduit le monde entre quatre murs. Pourtant je dois ma pulsation au fait que je souffre pour mille choses que je ne connais pas.

— VIII

On peut savoir comment tout se tient, parce qu'on n'y croit pas vraiment. J'arpente la ville, les sens en émoi, avec parfois le froid de l'hiver pour étouffer les bruits, avec l'été comme une poussière incandescente en suspens dans nos poitrines. Et lorsque l'un succède à l'autre, ils prélèvent sur nos sens un sentiment en regard duquel plus rien ne peut subsister.

Dans l'hibernation de l'être, plus rien ne paraît possible, la distance qui nous sépare demeure infranchissable, notre nature est à la saison froide. La tête entre les genoux on attend que la vie passe, la nuit perd son encre et le jour ne remplit rien. La tête entre les genoux on appelle encore ça la nuit et on recommence à ne pas en finir.

La beauté est un givre dans la nuit. Les ombres se relèvent et nous corrigent : – on existe sans les autres, c'est ça le dilemme. Je ne savais que faire de mes nuits, je les passe *joue contre joue* avec *deux gueuses, en leur détresse roidie*. Comment aller à la rencontre du jour qui sera sans nous ? Nous appelons encore amour ce moment où ceux qui n'ont rien à perdre s'abandonnent. Mais il y a d'autres noms que nous avons oubliés.

Lorsqu'elle a voulu en finir, elle a voulu me confier son chat. Le fourgon policier qui m'emmenait est arrivé en retard. Les gaz avaient déjà explosé, le souffle avait pulvérisé les fenêtres, les rideaux de nylon devenus rigides avaient conservé un angle du côté de la rue. Dans son petit appartement, où pompiers et policiers se marchaient sur les pieds, nue et indemne, elle se jeta sur moi aussitôt que j'entrai.

La ville comme une photographie dans le journal : vue de près elle devient une juxtaposition de petits points. Il y a le vide entre les points, pourtant tout paraît superposé. La ville se soumet à la règle, comme quoi deux objets ne peuvent se trouver au même endroit, mais elle émince terriblement le vide.

— IX

Les immeubles dans la ville dessinent un chantier, c'est là que sera coulée tout d'un seul coup la grande opacité du ciel gris béton. Alors le ciel et la terre de bas en haut cimentés dans un même Fossé d'Insomnie, nous serons à l'abri des vertiges. Le premier coup d'œil remonte la lumière, cette rude paroi qui borne le ciel.

J'ai passé des nuits à attendre, une attente qui creuse dans la terre son Fossé. La nuit perd son encre et le jour ne remplit rien. La tête entre les genoux on appelle encore ça le jour et on recommence à en finir. La clarté capitale se rembrunit, le soleil au couchant émince son brasier en filons d'or rouge. Les veines du temps dispersent les matières. Les nuages tournent, circonvolutions cérébrales d'un blanc laiteux : je regarde le ciel pour recueillir mes pensées.

L’enfer c’est le sommeil refusé
le paradis c’est le rêve
pas de rêve sans sommeil
le gouffre entre les deux
c’est le fossé d’insomnie.

L'ŒIL NAUFRAGEUR

« Le problème de la peinture, c'est le monde tel qu'il est ». Francis Bacon me regarde de ses yeux verts, l'expression ne rajoute rien, billes de verre que traverse le filament de l'agate, froids roulements à bille de l'inclinaison de la tête. L'œil du peintre est préhistorique. « C'est le problème aujourd'hui, le monde tel qu'il est... ». Je dis « la forme qu'il a ? », pour trouver une issue. Autant dire que tous les problèmes sont dans la peinture : rien n'est expliqué, mais voilà néanmoins un inexplicable qui nous requiert. Lieu qui s'ouvre à quelque chose, qui n'est pas fermé par ce qu'on en dit. C'est le doigt qui cache le soleil, le doigt qui pointe le monde : on ne voit que le doigt, qui nous ménage un parcours dans l'éblouissement des choses qu'il distribue autour de notre façon de voir.

La peinture est notre regard qui nous revient après s'être logé dans les choses.

Les tableaux derrière nous me font un contre-jour douloureux. Je plisse les paupières, je les sens comme des lèvres écorchées par la soif. Le regard fouille les aspérités de l'huile. Les tableaux sont même décevants par la légèreté des matières. Tandis que Bacon paraît massif, campé près de la fenêtre dans son ciré noir que froisse la lumière grise à la tombée d'un jour couvert. Je vois alors les lambeaux noirs qui sillonnent les mers houleuses, lorsque s'élève la vague, un côté argenté par le vent, tandis que l'autre laisse remonter l'obscurité des profondeurs : *melanoptikon.*

Mais je ne peux m'empêcher de le fixer, comme une chose dense, lointaine, qu'il faut laisser remonter dans le courant de lumière. Mon œil phare braqué sur lui, je me sentais naufrageur. Pourtant c'est lui qui est venu au-devant de ma difficulté : « Aujourd'hui, pour vous c'est un immense problème que de faire de la peinture. Il s'agit de n'être ni *figurative* ni *abstract,* quelque chose d'autre, mais c'est ... ». Le silence entre nous laisse entrevoir ce nouveau carrefour de l'impossible. Il est venu d'en-deça reconduire pour un temps cette histoire à faire. Curieux paradoxe : celui qui a poussé plus loin une *façon* dans la peinture a aussi marqué celle-ci par ses appropriations tyranniques : un peintre ne peut manquer de voir tout ce que, depuis Bacon, on ne peut plus faire : tout ce qu'il a pris et tout ce qu'on ne pourra faire, pendant longtemps, sans se mesurer à lui. Pourquoi s'acharne-t-il à détruire le monde dans la chimie froide des émotions coagulées? Fallait-il démontrer l'abjection de tout ce qui est humain?

Ce jour là, Bacon n'a rien à proposer au jeune

peintre qui se présente à lui, car il s'est retranché lui-même d'une humanité qu'il désavoue, et ce qu'il y a laissé nous retranche à nous-mêmes. Pas de formule pédagogique, sinon de s'adosser à soi-même dans la solitude, se désinvestir de toute interlocution et donner couleur à sa propre monstruosité. Francis Bacon m'est apparu comme un monstre totémique : la tortue de mer, à la faveur de la nuit, revient parmi nous s'enfoncer dans les terres pour y déposer ses œufs. Ainsi la profondeur vient périodiquement se régénérer à la surface, ainsi les hauteurs en réduisent le nombre : tandis qu'un tourbillon d'oiseaux dévore ta progéniture. Aujourd'hui c'est le crépitement médiatique qui cimente notre mutisme.

Ce ne sont pas les corps représentés mais la peinture de Bacon elle-même qui manifeste ses lésions internes. Il y a là quelque chose du jeu de l'enfant qui s'écrase le visage contre une vitre, il y a aussi les boursouflures bleues du noyé que l'on ne montre pas aux enfants. Ce n'est pas la vitre, ce n'est pas l'eau, c'est encore plus transparent, cette compression formidable de notre époque, ce qu'il appelle « le monde tel qu'il est ». En 1493, dans l'*Anathomia* de Mondino de Liucci, apparaît pour la première fois la figuration d'une structure organique ouverte. Les corps, disposés dans des positions dramatiques, font du monde leur amphithéâtre. Avec Bacon cette théâtralisation des cadavres rejoint dangereusement la tragédie moderne des êtres humains, séparés d'eux-mêmes et du monde.

Ainsi, la peinture peut-elle se donner un inventaire de formes organiques, elle peut composer et *décomposer* des figures, dans une anatomie de l'abjection, sans avoir le souci de représenter du vivant. Au détour de ces figurations parfois cruelles, sinon froidement exécutées, la silhouette pourtant familière d'hommes et de femmes improvise sa disparition. Le visage, que nous plaçons à la base de tout ce que nous appelons reconnaissance et identification ; — ce visage dont les traits nous semblaient acquis, trahit soudainement la dépossession du corps, le délire de sa substance, dans la masse de rébellions et de satisfactions immédiates. D'où une façon d'entendre ce qu'il me répète à ce moment, comme il l'a répété à ceux qui l'ont interrogé : « c'est pourquoi il est tellement difficile de parler de ma peinture. Si on pouvait vraiment en parler on n'aurait pas besoin de la faire ». Il faut entendre, *voir* en fait, tout ce que ce silence défait. Pour l'instant, j'en suis là, abandonné à ce silence. Notre entretien s'est terminé ainsi, je ne sais plus ce que nous avons dit. Phrase après phrase, les mots retournaient à la pensée. Ils assourdissent notre propos de leur charge interrogative, ne laissant qu'un engourdissement du corps, encore complice de la parole. Et puis je crois que nous avons entendu un chien aboyer au loin. Le son se réverbérait autour de nous, rendait mince et cassante une atmosphère qui nous imprégnait comme un malaise minéral. On ne peut rien dire de l'art ni de notre temps. « Je peins pour mes amis », offre Bacon en guise de conclusion – ou d'invitation.

Lorsque nous traversons une ville la nuit, ses lumières forment un tunnel de striures colorées. Francis Bacon a été pour nous une de ces traces lumineuses, un de ces arcs qui composent l'armature luminescente qui accompagne l'humanité dans sa précipitation aveugle. À nous brachycéphales tourmentés, qui générons cette culture en même temps que nous apprenons à la respirer, il donne à voir que notre existence sera dissipée avec nos images.

LETTRES ACCORDÉES

LE NOM D'ÉTERNITÉ

LE DÉLICE DU VIDE

LES ANIMAUX DE COULEUR

L'HOMME AU BORD DU LAC

UN COMMENCEMENT DE FOLIE

LA JUNGLE SOUTERRAINE

HÔTEL-DIEU, CHAMBRE 3324

FOSSÉ D'AMOUR

LA FENÊTRE

TÊTE SIDÉRALE

I – LE NOM D'ÉTERNITÉ

À vivre sans horizon, sans savoir où tout commence et tout finit, nous croyons exister dans le mal qui nous rive à nos os. Pourtant une étoile est aussi le scintillement de l'œil au milieu du jour.

Ce que je voudrais que la vie soit, j'ai peine à le rêver. Un jour peut-être, je serai assez seul et assez douloureux pour sentir tout mon dénuement et l'expectorer dans un seul cri, afin que les hommes et les femmes d'aujourd'hui cessent de se demander quel est ce jour qui se lève.

Les jours nous portent de l'avant, nous approchons du moment où nous n'aurons d'autre ambition que celle du présent.

Quand une pierre tombe dans l'eau, les cercles vont s'élargissant. De fines ridelles vont mourir dans la distance. Et si ce n'était qu'une goutte : – petite goutte tu t'es perdue dans la mer, tu touches à tous les continents.

Par des mots j'assourdis mon épouvante de tête, j'amortis l'abrasion de mes nerfs. Je ne peux toucher les bords du puits, je n'en connais pas le fond, c'est un paysage où l'horizon s'enroule, les étoiles éclatent, le tourbillon reprend. Ce n'est pas tant que les mots ne peuvent rien, nous manquons d'imagination pour constituer le sol sous nos pieds, le tasser, cheminer. Un seul mot, pourvu qu'il soit juste, comblerait l'abîme.

Qui nous tiendra les mains pour proférer notre nom et nous appeler de l'autre côté ? Qui comprendra qu'il est inutile d'insister? Pour tout conclure dans ce mot : « maintenant » ?

Parfois l'âme s'absente, se réfugie dans ses secrets. Et nous laisse avec l'envie de nous perdre. Tu as couru avec les cheveux dans la bouche dans une nuit si blanche que tu en craignais la cendre. Les araignées ont tissé des orfrois sur ton visage. Tu cherches en toi-même ce voile qui, depuis combien de temps, te couvre le regard. Te fait respirer des brumes bleues. Te fait pleurer des givres de sel.

Je ne sais toujours pas : sont-ce des pas qui viennent ou est-ce mon cœur qui bat ? Il n'y a personne, sinon le sang qui habite la maison du mort. Alors je reprends le chemin, j'extrais de ma mémoire des silex tranchants. Je me glisse au plus près, entre toi-même et ta folie. Je vois que ta vie est un jour forgé de lumière, où j'existe aussi sans que cela n'y rajoute ou n'y retranche rien.

II – LE DÉLICE DU VIDE

C'est dans la nuit que nous trouvons le délice du vide, le grand corps prostré du monde. Que nous trouvons le silence qui a grandi avec tous les solitaires, le silence qu'ils nous ont laissé. Dans une telle nuit nous voulons tendre la main, étendre le bras. Tous nos gestes possèdent la géométrie parfaite du coquillage.

Le jour ne sait pas rejeter le superflu dans l'obscurité alentour. Dans le jour, les choses s'annoncent toutes en même temps, hurlant à tue-tête. Dans le ciel inhabité, tout nous parle, à la fois gigantesque et négligeable.

La nuit disperse notre agitation diurne autour d'un centre aveugle. Tout risque de choir de nouveau dans un fossé d'insomnie. Alors je suis touché de tout côté. La fièvre m'habite comme un froissement de soie, dans ses rafales je sens au-dessus de moi des vitraux à ciel ouvert, de grands éclats échappés de l'aile du jour.

J'étais un Saint moi aussi, un homme-luciole, dès le premier jour j'ai parlé au soleil, il a incendié mon regard. Dans le flanc des océans, ceux de l'abysse et ceux de l'éther bleuté, – un feu forge le visible, un même enchantement précipite toute chose dans un déferlement lent. Déjà, parler n'est pour toi qu'une façon d'être moins secrètement méditative.

Se faire connaître à autrui, là où sa vie le retient. Sans sacrifier l'être entier pour sa partie. Ceux qui ont fait le monde comme il est ne feront pas de concessions pour nous le faire accepter.

La souffrance est une obscurité augmentée qui donne le tracé d'une lumière bienfaisante. Dans le manque de l'être aimé nous donnons corps à son absence, mais c'est lorsque nous tenons son corps dans nos bras que nous languissons pour une vie plus haute. L'amour de Dieu est trop intimement lié à l'amour humain, aussi a-t-il fallu à tout prix les séparer et les faire paraître dissemblables.

À peine je te cherchais, j'ai compris que tu n'avais jamais cessé d'être là. À peine je t'inventais, j'édifiais mon présent sur une scène fragile. Les âmes ont la distance pour se rapprocher. Les corps ont la proximité pour se découvrir et renvoyer chacun à la plus lointaine extrémité de lui-même.

Tu ne t'aimes pas assez pour te donner, il te faudra être heureuse pour le pouvoir un jour. Si tu n'avais plus le gouffre pour t'y perdre, tu le voudrais recréer de tes yeux voraces. Tu voudrais toucher la vie de tes lèvres, la bouche encore endormie dans un rêve de fruits. Tu ne sais pas le nom des sentiments et pourtant tu rends les roses sur la table plus belles.

III – LES ANIMAUX DE COULEUR

Ainsi les paysages naissent d'une sève nouvelle. Le ciel se sépare en filaments, dispersés par les vents. Je veux éteindre ma rage dans une sueur complice, je cherche la main amie. La peau colle tant qu'elle peut à la chair, la chair colle à l'os, l'os colle à une danse macabre, la danse macabre mène la main au bal du vide. Le monde me déchire, je veux le faire éclater au dehors. Alors j'irai plus léger, sans me croire indigne. Je saurai tirer de mon désespoir le dénuement nécessaire.

Un cheval bleu, séparé de son ombre, repose sur le flanc, dans le désordre de ses sabots de velours. Sa tête encore illuminée par le coup qu'il reçoit. Son cœur lesté d'une enclume.

Comme la pierre fend sous le froid, j'écris le poème sans fin de l'existence bifurquée qui enfle et claque en dedans. Me voilà grandeur nature, les pieds dans le vertige des falaises, je prends appui sur le masque dur et fermé où tu enfermes ta tristesse. Et me jette du haut de ta détresse.

La vie nous accueille avec une bouche si chaude, un émoi si grand, le dernier feu s'est noyé dans ses cendres. Dans un souffle de braise la vie danse sur un voile spectral. Je descends dans l'attente d'une aube plus vraie. Les yeux ouverts dans la nuit, la folie et la mort sont une seule vacillation à laquelle on va par une infinité de chemins. Je retourne dans les commencements, je vais à rebours du temps retrouver mon ivresse.

IV – L'HOMME AU BORD DU LAC

Nous conduisons notre vie d'une main habile de peur d'être joué. Nous la tenons à bout de bras pour qu'elle n'échappe pas. Et puis, sans savoir comment, un hurlement donne irruption à plus d'espace que nous n'en saurions admettre.

Sur le dos, il a tant regardé le plafond qu'il le redresse, le fait marcher devant lui et sortir de la pièce. Ton sourire s'effrite dans le mur, j'accélère le pas, mon plafond devant moi, les gens se détournent sur mon chemin, ils me regardent comme s'ils avaient tous le visage collé contre une vitre. Aussitôt revenu, je me veux de nouveau plusieurs, déjà dans plusieurs vies. Il n'y a rien d'autres ? Ce que nous apprend notre constat d'existence.

L'homme peut, dans le même moment, abolir sa vie et la rendre possible. Un tel homme est trop seul. Il racle sa gorge mais je n'entends pas sa voix. Il disait : – « Avez-vous entendu la nuit dehors ? », « Avez-vous mesuré de vos pas l'obscurité équidistante entre le crépuscule et l'aurore? ». Je me tiens la tête entre les mains, le regard fixe dans une lueur trop fragile. Pour échapper à mes veilles de somnambule je dois m'épingler sur place.

Exister sourdement, cela finira par nous ravager : – « Je l'ai aimé, je l'ai pleuré, Dieu s'envole de ma tête, pourquoi faut-il que la couleur du ciel me rappelle l'ampleur de tout ce qui m'échappe ? »

La main sur ton visage, j'ai le sentiment moins aveugle.

V – UN COMMENCEMENT DE FOLIE

Dans l'amour il y a un commencement de folie. Il n'est de lieu qui ne soit déjà hanté par mes pensées pour toi. J'échange l'espoir qui me faisait vivre contre un instant où j'abandonne tout espoir. Je m'abandonne dans une supplique d'amour. Au prix de tous les déchirements, le cœur veut s'ouvrir au monde. C'est dans ce monde que tu reposes.

Un jour il me faudra dire « Je crains de ne plus t'aimer, je le crains ». Alors je me serais perdu dans un rideau de larmes. Tu tombes dans le ciel quand tu roules ta tête sur l'herbe. Par moment tes yeux s'illuminent, j'y vois passer des images dont tu as fait ton regard, car elles reculent dans ta conscience affolée. Les voix reprennent l'une après l'autre l'entretien de la vie. Nos corps hyménéiques se défont, nous sont rendus palpitants et transformés.

L'amour est une abolition de néant. Je te trouve et tu m'échappes dans un même coup de cœur. Tu t'abandonnes à l'ivresse du vide, je t'offre une sobriété sacrée.

Lorsque tu trembles, tu es plus forte. Tu tires ta force de tes chavirements, tu brûles au bout de ta tendresse.

VI – LA JUNGLE SOUTERRAINE

Nous avons marché la nuit dans les canyons, tu m'as tenu le bras tout ce temps, les yeux résolument fermés. Ainsi les enfants marchent les mains au mur et rebroussent chemin. Ainsi, de la dette de sang, elle jette une ombre mauvaise.

Qu'avons-nous fait de la nuit pure et profonde, de sa couronne d'aubes étincellantes ? Reste cette nuit criarde qui ne connaît pas la profondeur. Je réclame un désaxement des apparences, un viol du regard qui précipite une nuit nouvelle.

VII – HÔTEL-DIEU, CHAMBRE 3324

J'ai des doigts au-delà de mes doigts, des mains au-delà de mes mains, – ma pensée n'est plus en moi, elle se cherche sur la crête des murs, au faîte des arbres. Ainsi notre tête bourdonne, quand la vie nous tire en tous sens. Tendu vers la lumière, j'emporte mes ombres. Lorsque la vie nous tire en tous sens, doigts au-delà des doigts, nous demandons à l'amour un arrachement de soi-même. Par un éblouissement trop cru, en tous lieux nous sommes devancés.

Un linceul de lumière s'élève, c'est un voile rêche sur nos yeux. En attente du second voile, amaurose. Saurons-nous à chaque jour retrouver l'exacte mesure des choses, contre le tranchant d'une lame ? Ainsi le visage se fige pour l'éternité et se tord contre l'éternité. La peine semble sans fin, nous avons le bénéfice de sa pérennité. Tu as détourné la tête, c'était déjà dire que nul ne pourrait te reconnaître. Pour débusquer une tendresse il faut se jeter dans la broussaille, se rouler dans la poussière, outrer l'effusion de soi et, mains au-delà des mains, rehausser l'invitation du soleil.

VIII – FOSSÉ D'AMOUR

Les pommiers sont en fleur. Avant de se répandre au sol en reflets mouchetés, le ciel passe dans les branches parfumées. Un lion vert fait glisser la beauté des choses dans le lit du verger. Jusqu'où pourrons-nous laisser libre cours à l'usurpation, l'esprit incendié par la nuit sans limites, avant que le jour ne devienne une froide coulée ?

IX – LA FENÊTRE

L'air froid du matin est un masque très dur. Je vais fermer la fenêtre. C'est le moment du jour où nos paroles nous quittent quelques instants, où le regard multiplie ses nœuds de clarté. Puis paroles et regards nous reviennent. Nous inventorions les surfaces, nous découvrons l'ample et généreux étalement des choses. Nous les rassemblons par îlots, nous en faisons passer le contour en nous-mêmes. Requis par une gravité nouvelle, nous pouvons l'épancher dans la concaténation resserrée des images.

Tout est recueilli dans le moment, puis tout est jeté dans le temps. La pensée exténue ce qui la rend possible, elle se produit devant nous, elle se déploie dans l'immense et le précipite dans ce qui deviendra à son tour pensée.

Avec la complicité du silence, recueillis dans la crosse d'une fougère, nous voulons retrouver une opacité première. Nous voulons, dans une obscurité restituée, apercevoir une clarté au-delà.

X – TÊTE SIDÉRALE

Les bonheurs scintillent à fleur de peau
seule amertume
nous regrettons ne pouvoir la goûter
tu retires, ici-même, une grâce animale
sans révéler pourtant
le mystère de ta forêt lointaine

J'aurai ma parcelle d'univers
c'est une soif de la vie
pour tous les autres aussi
parler d'un bord à l'autre de la nuit
la découvre plus profonde

La blessure de ton regard t'offre au crime
je me laisse ravager
par l'orgueil de mes rêves.

Fossés d'insomnie : nous sommes enfermés dans un œil laiteux et brillant. En amont, nous respirons un air sulfureux. En aval, nous exhalons les orages du temps. Voilà ce qui nous laisse muets. À l'embouchure, le musc de la mort est dans le parfum des fleurs.

Quand tu as les yeux fermés, je sais ce que tu vois dans le fossé d'amour.

LONG BEACH

Chelovek (human being) must know where he stands and let others know, otherwise he is not even a klok (piece) of a chelovek, neither a he, nor she, but « a tit of it ».

Vladimir Nabokov

CE QUI RESTE INTOUCHÉ DANS L'AGONIE

NEW YORK 8 P.M.

L 'ANTRE DU CYCLOPE

LE PONT DE FER

&
BABEL

I – CE QUI RESTE INTOUCHÉ DANS L'AGONIE

L'homme est étendu sur le sable. Il a au ventre une blessure où il presse ses mains, pour retenir la vie qui s'échappe, pour dissiper la souffrance qui pénétre. Aidez-moi !, aidez-moi !, murmurait-il. On ne pouvait plus rien, pour lui, comme pour nous. On peut achever l'animal, mais on doit laisser l'homme agoniser. La mort est une si grande énigme. Il nous regarde de ses yeux troubles, le souffle entre ses dents. Je vais mourir, aidez-moi !, aidez-moi ! Cet appel lui déchirait le ventre, c'est cela qui le tuait maintenant. Ne l'écoutez pas, ce serait lui faire du mal. Sur la passerelle les passants s'arrêtent puis continuent leur chemin, assurés que ce n'était qu'une infime partie de l'homme qui vivait encore et que donc c'était une infime partie qui achevait maintenant de mourir, *à peine un klok d'un chelovek*. Car il parait improbable qu'un homme puisse mourir tout d'un seul coup. Où sa vie pourra-t-elle aller quand elle aura quitté ?

Ainsi va l'homme dans son fossé d'agonie, il ne dira pas ce dont il a le plus grand besoin. Et, s'il exprime ce besoin, c'est que plus rien ne saurait lui venir en aide. Tombé si bas, trop bas pour qu'un geste puisse encore l'atteindre. Le sable entre ses doigts paraissait une consolation, il l'égrène entre ses phalanges, la terre devenue prière. Il goûte encore le dénuement qu'exigent l'eau et le soleil, car ces joies simples nous font sentir combien nous sommes nus, quand c'est sur la peau nue que nous exigeons la caresse. Toute sa vie il avait pris possession de son bonheur par un jeu de comparaison, il se savait heureux lorsqu'il savait posséder ce que tous convoitaient, il savait posséder ce qui n'est pas donné à tous. C'est encore des autres qu'il recevait sa quiétude, soit le ravissement de tout ce qui advient sans que nous en connaissions la cause, lorsque nous entrevoyons l'origine. Toute la nuit, il avait marché sur le boulevard avec sa lumière fixe, ses rayures blafardes. Lorsque soudain, sur le trottoir, ou plutôt en bordure de la passerelle, il perçut avec une clarté mortelle que, quelque part dans la ville, il y a une chambre avec un vieil homme, un homme sans importance, un homme qui ne sort jamais, un homme-luciole qui éclate de rire à cet instant, d'un rire qui siffle et qui râle. En cet instant il fut séparé brutalement de son bonheur, il le contempla à côté de lui. Cet écart fut l'éclair d'un couteau.

Ses contorsions dessinaient dans le sable un serpentement douloureux. « Laissez-moi tranquille, laissez-moi. » Il cherche en lui-même une souffrance assez forte pour lui faire désirer cette mort. Et puis, à désirer sa mort, une part de lui-même resterait intouchée dans l'agonie, passerait de l'autre côté sans se laisser corrompre. Voilà longtemps qu'il s'emploie à la désirer, qu'il se persuade de trouver en celle-ci ce qu'il avait toujours désiré.

Puis la sollicitude des passants, tard venue, l'arrache à cet effort, le dérobe à ce dernier sursaut. Les paupières peuvent soulager la vue, mais l'agonie prolongée est un Orbe trop grand que chaque sursaut de douleur dénude davantage, quand il n'y aura plus, entre le néant de la vie et la vie du néant, un voile d'humanité. Sa tête roule sur le sable, pourquoi sommes-nous si perméables aux mots, pourquoi le sable colle-t-il à sa bouche, pourquoi enfouir son visage dans la cendre ?

On peut refuser d'entendre un appel si pressant. Il y a, au cœur de nous-mêmes une fièvre interrompue, qui ne tient qu'à cela, blottie auprès de ses braises, émotions attisées, écoute transie, – parce qu'on lui parle jour et nuit. On ne saurait lui échapper qu'à couvrir sa voix. Nous n'existons que de comparaître devant l'autre. Et maintenant l'autre parle et nous dit, « je suis las de t'entendre ».

II – NEW YORK 8 P.M.

Le cœur seul le sait
il ne vit qu'ivre de la vie

À la rencontre du froid, chaque fois
une glace mortelle nous rassemble

C'est la plus grande clarté
dont je peux faire mon séjour
sans disjoindre les choses

III – L 'ANTRE DU CYCLOPE

Un arrachement du métal, jour après jour, reconduit les gens chez eux. Un homme, les bras croisés sur la poitrine, marche dans l'œil gris du jour, sa vie est un bien nouvellement acquis. Les autres, penchés, rentrent le soir en suivant leurs pieds.

Quand l'existence serait illimitée, il n'y aurait qu'à choisir. Comment se résoudre à la pesanteur ? Comment chacun a-t-il pu conclure un tel marché avec lui-même ? Nous échappons au vide de la fin du jour en retrouvant nos insomnies. Nous portons le voile de la nuit, nos gestes trop lents et trop lourds. Nous serons parlés par le message de la nuit et le transmettrons sans savoir ce qu'elle dit, ou plutôt, sachant obscurément ce qu'elle dit.

On reçoit l'idée de ce que l'être humain doit sentir et penser. C'est cette idée que l'on méprise par-dessus tout. On cherche une obscurité dans laquelle cette idée n'éclaire plus notre vie. Puis vient le jour où cette approximation de soi-même devient utile et fait contrepoids.

Pour l'instant, j'appelle les paysages pour qu'ils étendent en moi leur tourbe velours, les champs satinés, les eaux frissonnantes, les collines duvetées. La houle des épis noirs semble porter l'ombre des nuages. La houle se roule dans les blés, les nuages font lavis, les arbres sont penchés – ainsi les compagnons d'Ulysse se sont manqués. Ils se sont désespérément cherchés dans l'empire du Cyclope, son antre de fer. Je ne pourrai en sortir tant qu'il palpera les côtes de ma faim.

IV – LE PONT DE FER

À Romain Gary, Puerto Andratx.

Le train était déjà dans le tunnel quand il s'aperçut qu'elle était restée sur le quai. Mademoiselle Veen n'avait pu monter dans le wagon ? Que faire maintenant ? Se rendre à destination ou descendre à la prochaine station ?

Un virage et une soudaine remontée. Le train passe le pont au-dessus des eaux grises. Les passagers sont figés par cette lutte de la ferraille contre la ferraille. L'humanité frissonne dans son piège de fer. Puis le train retombe sur ses rails, et la vie inchangée retrouve ses faisceaux.

Chancey descend à la station suivante, juste après le pont. C'est la nuit. Il marche un peu. Est-elle restée sur le quai ? Est-elle rentrée chez elle ? La station est déserte. Hormis l'éclair métallique qui glisse sur les rails, il semble qu'ici tout se perd. Dans les murs, sur les quais, la lumière s'enfonce en filons précieux comme dans une mine, suit les angles du rocher et ne revient pas. Lui aussi condamné à cette chute matérielle, son regard ne rencontre que des parois hostiles. Il attend qu'une lumière rejaillisse et l'enveloppe, il attend la caresse d'un voile. Pourquoi n'est-elle pas montée dans le train ? Il voudrait l'appeler.

Deux hommes rentrent du travail, la veste d'uniforme déboutonnée et le sac des cheminots sur l'épaule. Il leur fait savoir qu'il veut téléphoner. Ils le conduisent à une cabine et lui font la monnaie sur une coupure qu'il a longuement défroissée par politesse. Comme il s'apprête à composer le numéro, il aperçoit les premières lueurs du matin sur la vitre de la cabine, une lumière enchevêtrée d'ombres, comme une poutrelle de fer qui s'étendrait devant lui pour un saut dans le temps. La lumière vient de l'autre côté. Il aurait suffi qu'ils aient pris la même direction. Il commence à en douter. Pourtant il n'y avait pas d'autre train.

Au moment de décrocher le récepteur, il se demande si les contrôleurs ne lui auraient pas refilé des boutons au lieu de pièces ? Il ne sait plus. Il tourne les boutons dans sa main. Il ne peut commencer à en douter, son monde se dissiperait pour moins que cela. Car c'est dans le détail que tout s'attache. Rien n'oblige les choses à rester ce qu'elles sont, ce qui les lie à elles-mêmes c'est le détail. Il met les boutons dans l'appareil, il entend avec soulagement une sonnerie. C'est un hoquet criard, un rire à tue-tête, est-ce le train qui arrive droit sur lui ?

Il y avait celle qu'il a laissée sur le quai : Aqua Veen n'était pas montée dans le train. Doit-il déjà l'oublier ? Maintenant il y a ceux qui l'attendent, il devra comparaître devant ceux-là. Les rails reluisent comme des couteaux venus de la nuit. Il s'assied sur un banc de lattes de bois. Un banc tout petit mais enraciné dans la saleté qui envahit toute la station, comme un dernier îlot de décence. On voudrait passer sa vie sur ce banc, y naître et finalement y mourir, plutôt que de retourner à la crasse. Les parois de la station, rugueuses et sèches, luisent d'une effervescence étrange, comme si elles n'étaient que poussières, drapé vertical traversé par une lumière scintillante. Comment a-t-il pu se perdre dans ce fossé d'amour sans qu'elle en soit aussi ?

Il scrute l'obscurité dans laquelle le tunnel s'ouvre béant, dans laquelle la nuit se liquéfie. Alors les détails se détachent des choses, les choses se détachent d'elles-mêmes. Lorsque les choses sont rendues à leur nuit matérielle, elles ont la profondeur d'un ciel étoilé.

Un homme grand et mince, boutonné jusqu'au menton celui-là, s'approche avec rapidité. Il regarde sa montre avec componction, tire une languette de plastique d'un rouleau et lui passe cette languette autour du poignet. Tandis que l'homme s'éloigne, il regarde son poignet. Il y a son nom écrit dessus. Comment a-t-il su ?

Nous désirons un bout de ciel au-dessus de nous. Nous sommes abandonnés à l'espace de nos derniers retranchements. Ici, comme ailleurs, il n'y a que ces quais, ces tunnels. Elle était restée de l'autre côté. Pourquoi ? Il se souvient d'avoir été bousculé, les portières qui claquent, la lumière qui vacille avec le départ du wagon, le pont de fer. Elle aura fait un pas de côté. Il faut l'admettre, elle l'avait poussé, il ne peut plus revenir en arrière. Il n'en fallait pas plus pour verrouiller la planète dans son orbite.

Alors il se lève et marche. Il sait où les retrouver. Oui c'est bien là, ils sont tous autour de la table. Épuisés depuis toujours, ils ne peuvent plus dormir. Ce tribunal de l'insomnie lui aura demandé, il s'y attendait : qu'avez-vous à dire ?

Une sévérité dans leurs yeux lui rappelle son devoir d'homme. Ils l'implorent du regard, lui seul peut les sauver. Il doit tenter quelque chose, mais il ne sait quoi. Dehors le monde attend, il serait parvenu à son terme. Pourtant tout reste à dire, tout doit être tenté, la vie n'a pas même été aperçue.

Il allait parler puis se ravise, sort un papier de sa poche.

– À vrai dire j'ai tenté d'éclaircir tout ça, je me suis griffonné une question à laquelle je pourrai revenir. Et puis voilà, je perds le fil. Que de trous dans une tête !

Il pose sans conviction le papier sur la table. C'est une pierre sur le chemin de l'éternité, ou plutôt un trou où la petite pierre peut tournoyer. La trouée de l'émotion, – et des aperçus de l'esprit.
– J'aime marcher dans la rue en pleurant. Je crains les rencontres, car je ne saurais quoi dire. Pourtant je suis parfaitement heureux. Ces choses là et bien d'autres encore ne s'expliquent pas.

Dire que c'est de lui que tout dépend! C'est un secret qu'il faut toujours divulguer autrement, c'est pourquoi il reste secret.

Rien n'atteindra le degré d'évidence d'une brique dans un mur. La brique pleine et rugueuse porte des empreintes de doigts. Aujourd'hui encore je suis stupéfié par la matière. Il m'est arrivé un jour, alors que j'étais épris depuis peu de ma bien-aimée, de me rendre compte que ses yeux affolés étaient toute sa vérité. Et que je pourrais l'aimer au-delà de sa vérité et de la mienne.

Chacun parle à partir de ce qu'il rend possible, enfermé dans les raisons de la langue. Pris au dépourvu, il ne sait plus quoi dire. Sans doute est-ce une résolution qu'il ne veut pas quitter, une question dont il ne veut pas s'éloigner, malgré les réponses qu'il ne manquerait pas de lui trouver. Ce papier lui rappelle un rien qu'il ne peut dire, conservant ainsi, pour lui-même et pour l'humanité, la possibilité d'échapper à l'intoxication par le sens.

C'est pourquoi il a rendu son papier. Dans la salle, tous se taisent. On pourrait croire qu'ils dorment mais aucun ne dort, ils ont relevé leur épuisement à la verticale. Les contrôleurs sont venus se joindre à l'assistance et restent debout contre le mur. Alors il se produit cette chose effroyable : dans cette salle blafarde et bientôt dans le monde entier, le silence prend une ampleur inattendue, il devient un hurlement de fer ! Il est déjà trop tard, il ne retournera pas de l'autre côté. Trop tard pour le jury d'insomnie qui a déplié le papier.

C'est un éblouissement mortel, l'abolition des lignes, des formes et des couleurs, qui s'étend à travers quais et tunnels. Seuls ceux qui ont sombré dans les fossés d'insomnie connaîtront encore la couleur de l'éveil. Seuls ceux qui ont sombré une fois dans le fossé connaîtront la couleur des yeux de l'amour.

AU BAS-FOND DES FOSSÉS D'INSOMNIE
QUELLE EST LA COULEUR DE L'ÉVEIL ?

AU CREUX DU FOSSÉ D'AMOUR
QUELLE EST LA COULEUR DE TES YEUX ?

BABEL

Le langage ne dit que lui-même, poutant, nous avons cessé de l'écouter. En deça, un bruissement enveloppe le monde. Sur les lieux de la mésentente, il n'y a que voies sans issues, portes condamnées. À quel présupposé avons-nous réduit la vie humaine ?

Nous avons enterré l'architecte. Quel monument saurait affirmer - indifférent à sa déroute - la valeur d'une vie d'homme, dans ce monde pétri de vocables anciens. Occupés à débusquer ce qui écoute, voués à nous écouter entre nous, parce que nous n'avons pas trouvé à qui parler, il nous faut déjà revenir sur nos pas. Occupés à naviguer parmi les états fluctuants de notre équilibre, la vie s'est étriquée – nous ne saurions la faire tenir toute entière dans une tête babélienne.

À Babel chacun se voudrait une voix : éructation née des profondeurs. Écho perdu et retrouvé. Je crée en moi un autre moi-même que je tire à moi à tout moment et que je sacrifie sous le faisceau blafard de la conscience.

J'entends ici l'écho d'une multitude de paroles qui s'assourdissent et s'annulent. Le silence naît ici de ce qu'il perd là-bas. Pour le recueillir il faut user de la prescience que l'on aura su retirer de l'instant, dans sa provenance la plus secrète. Un jour jadis, un écho retors avait pris en charge la destinée humaine.

Depuis nous recherchons les possibles que recèlent le feu et aussi le froid : cette éternité très lente qui nous traverse, le ralenti d'une fulgurance glacée.

Babel : nous avons fait à notre tête, c'est un fossé culbuté de la tête aux pieds. Nous voulons composer avec un monde vrai qui ne serait pas le lit de l'erreur. Mais on ne reconnaît le vrai qu'aux erreurs qu'il a suscitées. L'homme a une bêtise forcenée.

C'est le langage, le fossé de la solipsie. Certains ont le privilège de fouler son sol dur et millénaire, ils en sont les maîtres et les serviteurs émerveillés. Babel se gorge de tous, nous lui donnons son éclat, la pose que nous prendrons sera de marbre.

Les murs sont tantôt poreux, ou d'une extrême dureté, selon l'effort consenti. Ce sont des murs contre lesquels tout s'exténue et se perd. Il est vain de se mettre au pied du mur, nous ne sortirons rien de plus de notre gosier. Ce qui va de soi, ce qui est entendu, tout cela s'empile vertigineusement, s'enchevêtre en Babel. Nous en avons érigé cet abrupte néant, oublieux de tout ce qu'il a fallu enfouir dans la mémoire, oublieux des renoncements qui le font gagner en hauteur.

Babel défie la pesanteur, celle qui ramène la poussière à la poussière, sans qu'éclat ne jaillisse. La poussière en bouche, je trace des signes à mon tour, confiant qu'ainsi il en a toujours été. Il suffit de boucler les marges qu'elle délinée pour en détenir la signification. Ce que nous accomplissons ne compte qu'en regard de ce qui sera tenté.

Nos ossements se disputent le sous-sol, le manteau de la planète ploie. Ce que nous disposons pour le rendre visible, nous le dispersons pour que cela fasse sens, – ce sont les liens fidèles de l'Étendue. Malgré le chaos irrémissible. Ainsi le temps s'avance sans omission, sans prêter assistance à l'Étendue lisse et plane de ce qui est.

À quel prix l'homme se survivra ? Combien transformé ? Cessera-t-il de propager son infamie ?

L'homme spolie ce monde parce qu'il ne devait pas en être ? C'est un feu qui prend tantôt la forme de l'éclat, tantôt la forme de l'ombre. Pourtant nous voulons la terre sereine et la rixe éteinte. Le chemin est tracé par le doute, de toujours repasser par le doute. Il nous faut en repousser les décombres. Un noyau de douleur éclate. Le soleil réclame son empire.

Voilà ce qui porte Babel et les hommes en ses douves. Une colonne de lumière jaillit pour soutenir l'instant. Et puis l'instant cède à l'instant, l'instant se consume en de nouvelles éclaircies, la parole s'achemine avec ses détours et ses abandons. Elle est tantôt barbelée de luminosité, tantôt éteinte en muette. Parfois nos paroles s'élancent, arrêtent le monde, nous goûtons les amertumes et les délices. Puis le monde s'ébranle de nouveau. Nos choix ne peuvent intéresser que ceux qui font des choix.

Entre ce que les mots laissent choir et ce qu'ils relèvent, s'étend le marché des babelogues. Chacun peut vendre ou acheter le sens et le non-sens, par le cas qu'ils en font, en se payant de malentendus. Chacun habité par un vide plus grand que le vide. Ainsi tout commence, ainsi tout finit, nous nous croyons tous les jours aussi lucides que nous l'avons été en de rares occasions. Peut-être n'avons-nous pas eu l'occasion ? Qui sommes-nous hormis ces occasions qui nous révèlent ? L'inverse de tout ce que nous avons cru être.

Nous voilà enlisés dans le fossé de solipsie, les mots de proche en proche reconduisent la pensée. Babelogue exténuant. Lorsque les mots s'emboîtent bien, ce qu'ils disent doit aller de soi, tant et si bien que l'on peut faire traverser la rivière à la rivière. Car le réel ne peut manquer d'être simple, clair et plein. Et lorsqu'ils ne s'emboîtent pas, nous éprouvons assez cruellement le non-sens, tant et si bien que le jaillissement d'un sens inattendu, n'importe quel sens, quand bien même le plus banal, semble un éclair de joie venu de la terre extasiée.

Depuis trop longtemps égarés dans les ornières du non-sens, les premiers effets de sens nous paraissent une promesse vertigineuse.

Tous courent au-devant d'eux-mêmes. Pourquoi tant de précipitation ? Avec quelle hâte les apparences s'abandonnent à une tétanisation bruyante ! Nous supposons un réel à rejoindre. C'est le socle mutique d'un présent sacrifié. Je dois faire le pari qu'il y a une vie meilleure, que le malaise dans ma vie présente est la santé de cette vie-là.

Les mots sont nos catastrophes mentales. Nos dires se substituant les uns aux autres, régicides dans leurs trônes. Théâtre de papier. Rituel babélien. Nous méprisons ce présent dans lequel doit s'emboîter notre vie, nous rêvons d'une nuit violette dont l'aurore s'est échappée, dont les franges roses sont déchirées. Nous pressentons des constellations dont nous ne connaissons ni le nombre ni les figures.

Il faut payer de soi-même. Ici les murs s'effritent, tout n'est que ruines parce que nous avons failli. Cette voix en chacun, que chacun croit posséder, croyant se posséder par conséquent, ce n'est qu'un éclat de Babel, – le labyrinthe d'écho, l'ossuaire délicat.

Il n'est de lieu d'être que dans l'écart grandissant entre une vie émoussée et sa tranche mortelle. Entre le mot échappé et la somme babélienne de tout ce que nous ne sommes tenus de dire. Hélas, tant d'efforts pour rejoindre ce qui repose déjà dans l'enveloppe des choses ! Pourvu que nous puissions l'y rejoindre. Car la limite est au centre et tout le reste est débordement. Les opposés trouvent leur intersection sur l'arête vive du seul regard.

RESTAURANT
BAR

LA NUDITÉ DE SOI

LA FIDÉLITÉ DES OMBRES

CRI

L'ABRI

MOMENTS

LA NUIT HUMAINE

I – LA FIDÉLITÉ DES OMBRES

La rose raconte sa vie, les épines aux lèvres
c'est une braise froissée

assis à la fenêtre je bascule de ce côté
dans le squelette inhabité

hospitalité de l'os, le monde se retire
mais les choses s'insurgent

couché, je ne veux rien entendre
oublieux de ce qu'on lui faisait dire

le langage est le cadavre de l'histoire
j'éperonne les steppes, quel aiguillage

les rainures du chemin
s'enroulent comme des carrousels de bois peint

la fosse ravinée dans ses flancs
retient ses nuits captives

le mépris des fougères, d'un pas lourd
appuie l'abord du marais

comme le sang de la falaise, secret abrupt
avance sur la mer

ruines tumultueuses, hostilité de l'eau
une écume citronnée cicatrise mes lèvres

c'est une eau dure sortie des pierres, sables et graviers
qui abreuve tes yeux

outre l'éclat à la fenêtre du jour
je n'entends rien, je ne vois rien

j'écris sur la poussière des vitres
l'ombre résineuse des soleils d'hiver

je tombe contre le vent
encore debout, les yeux fermés

les nuées agitées par le plomb
j'échappe à ce que je dis

et me fais une plaine glorieuse
d'un râle d'amour qui s'attarde

ainsi la lumière dirige sa coulée
dans l'argile aux joues fraîches

elle fait remonter sa découpe
dans des alliages plus sûrs

j'avance ces mots sur la page
comme les minutes précipitées d'un cadran

je me retrouve à l'orée de tout
à guetter ce qui divise

à serrer de si près
ce qu'il y a de commun à tous

à recevoir ce que chacun se donne
lorsque le commun retourne au commun

II – CRI

Il faut bien que j'achève cette enfance, que je laisse son appel famélique, que je rompe le bois mort. Tant les os me tirent et que cela craque de partout dans le squelette de mon père.

Nous nous substituons aux trépassés et nous perpétuons ainsi, comme s'il n'y avait pas assez de vie à partager, pas assez de vie pour aimer et pour écouter le silence, – ce silence dont nous ne sommes jamais sortis, dans le désarroi de ceux qui restent.

La douleur, dans sa qualité violace, a depuis toujours noué la vie. Elle étend ses replis meurtris, avant d'éclater comme un cri.

Qui voudrait se fendre la tête, pour en laisser sortir la liberté ? Nous n'en avons plus l'idée, depuis qu'elle nous a été retirée, raclée jusqu'à l'os. C'était ma puissante demeure.

Rien n'échappe aux petites reptations par lesquelles nous cherchons notre bien. Autant essayer l'échec, il n'en resterait qu'un infime désagrément, si nous n'étions pas complices de tant de lâchetés.

Force nous est d'admirer notre ingéniosité à fragmenter la vie en mille instants, nous sommes assurés de rester toujours mille fois plus petits qu'elle. Force nous est d'admirer l'ingéniosité avec laquelle nous parvenons à tirer mille hurlements de chaque nerf. La peur de la mort creuse une fosse combien plus profonde, c'est la banalité de l'arrache-nerf.

III – L'ABRI

Je ne vais pas sans tourments, cherchant l'abri.

Tant le monde est vaste, chacun y prendrait un élan formidable. Nous serions tous les géants. Alors pourquoi restons-nous sous la toison sans passer dans l'entre-ouvert de l'espoir ?

Toujours au bord du fleuve, nous voulons lui ressembler, se mêler à ses affluents. Ce qui s'accomplit élucide ce qui ne s'accomplissait pas. Pas de vérité pour ce qui ne fait pas levier.

Ce que l'on croit être soi, il ne sert à rien d'en faire l'aveu. Un cœur léger soutient la voûte du ciel. C'est une poutre qu'on appuie sur le feu, elle s'embrase et l'ombre recule.

IV – MOMENTS

Il y a, au bout de l'échelle, une bête terrible qui rugit des fleuves de mouches par ses naseaux. Ses yeux sertis de diamants noirs. C'est la tête du taureau, trophée de corrida à Alcudia, que le jardinier fait sécher sur la pente du toit. Je l'ai imité avec des étoiles de mer. Les fourmis formaient une chaîne frénétique, les maillons enchevêtrés comme les lignes d'une main.

Le regard tourné vers l'avenir, pour donner forme aux événements, espérons qu'ils sauront justifier la surenchère à laquelle nous avons imprudemment exposé notre vie.

Ce qui s'avance depuis le début tombera en place au tout dernier moment comme la trahison de l'inconnu.

Captif de mes sens, j'ai la tentation de l'au-delà pour trouver la force impavide de ceux qui ne ressentent rien.

Une complicité inépuisable détermine quels moments de notre vie seront revisités dans le rêve. Et lesquels seront abandonnés à l'égarement diurne. Toujours échappés des armillaires du temps, ces moments inaperçus nous serons restitués. Il suffit aujourd'hui, par des intensités complices, d'en provoquer le rappel.

Soudain le passé s'écoule de nouveau comme seuil que nous voulons franchir lorsque, dédoublant notre vie, nous parvenons de nouveau à coïncider avec celle-ci.

V – LA NUIT HUMAINE

S'entasse là tout ce qui advient se jouant de nous, – beaucoup de choses. Dans aucune d'entre elles nous ne trouverons le repli craintif et l'anfractuosité muette qui les justifient.

Le miroir se fêle, se fend tout du long. Nos paroles égarées et nos pauvres sourires sont criblés d'absences. Nos yeux coulent à la sortie de l'hiver. L'émotion est seule présence à soi, prélevée à même notre chair.

Sans prendre conseil, nous voudrions, par des aveuglements consentis, laisser briller l'éclat spectral de l'être.

Après le tumulte, les autres ne sont plus là où nous les attendions. Alors, auprès de qui négocier une trêve, auprès de qui réclamer le dégel de l'angoisse ? La solitude est la dépouille de l'espoir qui a quitté.

Il est une nudité de soi que l'on ne peut habiller pour la protéger, car la protéger c'est la perdre.

Un dénuement précède toute lueur matinale. Avec, au creux du ventre, le relief en ombres et éblouissements de la ville endormie.

Il est des émotions qui sont des vies, chaque émotion est une vie qui subsiste en plusieurs corps à la fois, qui les dévore et, par le truchement charnel, en conquiert de nouveaux. Une lassitude, comme un géant au sommeil troublé, maintient l'éveil.

LA VIE EN MORCEAUX

Il était presque cinq heures et le rougeoiement des géraniums dans le ciel avait pâli. Les dernières couleurs, froides et fanées, se déposaient sur l'horizon. La noirceur, quand elle viendra, descendra sur nous très vite, comme en hiver. « Je suis tout simplement folle de ... » Mais elle ne put finir sa phrase ...

Carson Mc Cullers

CHANCEY

CHELOVEK

I — CHANCEY

Aqua Veen aperçut, au fond du café, Chancey qui la regardait. Elle ne l'avait pas revu depuis qu'elle l'avait laissé prendre le train. Il ne s'était aperçu de rien avant le tunnel. Il se leva, vint vers elle, s'approcha, lui sourit, toucha de ses doigts ses cheveux à elle, ses lèvres à elle, qui le prit par le bras, lui dit : « Viens, je vais te raconter l'histoire de l'homme-luciole, que l'on a trouvé dans le jardin du Palace Hôtel à Montreux. On a réussi à le photographier avant qu'il ne disparaisse. »

Mademoiselle Veen but son café par petites gorgées, attendait d'avoir fini sa cigarette. Une chaleur tentaculaire lui envahissait le ventre : il était préférable qu'elle ne sache jamais qui était la créature de la photo. Elle y pensait souvent avec effroi : peut-on entrer dans la vie des gens par une simple photo ? Ce n'était après tout qu'une photo qu'elle avait accrochée sur le mur de sa chambre.

Mademoiselle Veen, et Chancey, sortirent du café, ils marchèrent vers le port.

Chancey n'avait pas attendu ce moment. Il était assuré qu'ils devaient tôt ou tard se trouver l'un l'autre, pour se dépeupler.

Le lendemain, Chancey se décida à appeler Mademoiselle Veen, parce qu'il savait que c'était trop tard : ils n'auraient qu'à rejouer ce défi de la distance qu'était depuis toujours leur amour silencieux. Maintenant il fallait le crier pour le dissiper, ils étaient tombés tous deux – par accident – dans un même fossé d'amour. Un amour brûlant s'était déclaré entre eux, qu'ils ne pouvaient accueillir dans leur vie sans trouver celle-ci insupportable.

Tout d'abord il n'y eut que des rencontres.

Les premiers temps il lui avait dit : – « Encore ! », faisant mine que c'était trop. Il attendait peut-être qu'elle réponde, sans même l'avoir entendu : – « C'est trop ». C'est dans la coulée d'une telle franchise qu'il saurait alors dire la vérité. Aujourd'hui, il voyait cela autrement, il aurait voulu se jeter dans ses bras, noyer son visage dans ses cheveux, perdre sa bouche dans la sienne.

Le temps que duraient ces rencontres était chiffré, il n'en examinait pas les circonstances, il s'efforçait de les fixer par un mot, un regard, quelque chose de tout simple dont il pourrait rejouer sans cesse. Il en éprouvait un vertige profond, la lutte pour s'en dessaisir était devenue un moyen de prolonger ce va-et-vient qui ne tient qu'à un trouble puis un éclaircissement de l'âme.

Elle lui rappelait peut-être quelqu'un ? Non,

Mademoiselle Veen ne ressemble à personne. C'était plutôt Chancey qui se mettait à ressembler à tous ceux qu'il côtoyait. Elle fut la première à s'en apercevoir. Non, ce n'était pas possible, elle essayait de se raisonner : – « Non ma fille, tu deviens folle, tu te mets dans la tête que c'est encore l'homme-luciole ».

Un jour, alors qu'il était assis en face d'elle, le soleil produisait sur les cils de Chancey des irisations dont il s'enchantait. Il se donnait à cette joie de la lumière devenue résineuse et vibrante lorsqu'elle remplit l'espace, quand elle lui demanda ce qu'il regardait. Elle ne pouvait le croire, Chancey se laissait glisser, se laissait porter comme s'il devenait l'un de ces saints idiots de sa terre natale. Pris au piège de la lumière, et en même temps trop innocent pour se laisser éblouir par le soleil : il lui semblait voir l'homme-luciole, simple et bienheureux, parler aux arbres de son jardin.

Tous les jeux de lumière l'émerveillaient sans relâche. Une autre fois encore, il regardait ses lèvres aux commissures de sa bouche, avec l'attention de l'enfant qui fixe les ailes de la libellule pour apercevoir l'instant précis de son envol. À chaque fois elle disparaissait dans un bourdonnement feutré. À chaque fois il tentait de se remémorer l'instant qui avait précédé. Mais lui aussi s'était envolé. Parfois à la commissure des lèvres de Mademoiselle Veen se formait une fine membrane de salive qui captait la lumière avec chaque mot, chaque mouvement de sa bouche. Il semblait à Chancey qu'en ces moments il l'écoutait encore, mais il entendait les ruisseaux dans les campagnes arrosées de soleil. Il lui semblait ainsi que les souvenirs de son enfance étaient inscrits en lui comme une série d'éblouissements minuscules mais assez puissants quand chacun serait assurément une étincelle dont on pourrait tirer une vie nouvelle.

Aqua se souvenait de ces chatons qu'elle croyait méchants. Ils lui avaient décoché quelques coups de patte vers les yeux. Jusqu'au jour où elle s'aperçut que pour les petits chats, ses yeux étaient comme des grands miroirs où se déplaçaient toutes choses alentour qu'ils essayaient ainsi d'attraper.

Il s'arrêtait souvent la nuit, sous sa fenêtre, pour regarder ses géraniums. Il savait, qu'assise à sa table, les géraniums juste à côté d'elle battaient l'espace et faisaient frissonner la lumière de leurs ombelles et allaient se fondre, petites plantes en pot, avec les arbres de la rue.

C'est là qu'elle avait écrit la première histoire de l'homme-luciole. Certaines lettres du clavier de la machine à écrire étaient à l'envers. Il s'était assis à sa table et avait derechef tapé une page comme ça, il était question d'une nuit de fièvre qui n'en finissait pas.

Elle s'était allongée sur un petit canapé dans une robe à gros pois verts dont elle avait ramené les pans entre ses cuisses. Au-dessus d'elle, dans une photo noir et blanc, on pouvait la voir la cigarette à la main, les cheveux très noirs et dressés. Il l'imaginait sanglée pour le voyage, photographiée dans un café de gare, car elle avait dans ses yeux noirs et dans sa mâchoire relevée la fierté de ceux qui voyagent légers, cette morgue de ceux qui ont le jour comme citadelle et le cœur comme bouclier. Chancey contemplait ainsi celle qui reposait maintenant dans la fatigue du matin, la bouche nue, il cherchait l'autre qui le regardait depuis l'autre bout du monde.

Maintenant qu'il était sous sa fenêtre, Chancey ne pouvait sonner, et aurait voulu écrire sur son trottoir.

TU N'ENTENDS PAS LE BRUIT DE MES PAS

Il aimait bien cette phrase, on pouvait y entendre la scansion d'une marche silencieuse. Jamais mon ombre. Cela aussi il aimait bien. Il avait choisi ses mots. Il préféra écrire tout simplement :

JAMAIS MON OMBRE PAS LE BRUIT DE MES PAS

Il avait passé assez de temps assis dans sa voiture, en bas dans la rue, tous feux éteints, la tête renversée en arrière. Il se surprenait à ce jeu où il voulait n'être rien pour palpiter avec les chaleurs d'une soirée d'été.

Il l'appelait au téléphone, pour entendre sa voix. Elle n'avait qu'à soulever l'écouteur. En fait c'était une conversation inversée, dès les premiers mots, il voulait entendre :
- C'est Aqua Veen, bonsoir Chancey.

Aussitôt après avoir raccroché, Chancey arpentait furieusement son appartement en tous sens, perdu dans ses pensées, jusqu'à ce qu'il se découvre debout, quelque part, ne sachant comment il était arrivé là. Il la savait encore à côté du téléphone, qu'un silence étouffé séparait maintenant du sien. Avant, pensait Chancey, il y avait l'immensité de la nuit. L'on s'y parlait, l'on s'y répondait. En effet, comment pouvait-il sentir toutes ces choses sans qu'elle en soit troublée, sans qu'elle ressente aussi ce trouble ? Chancey n'envisageait d'autre issue à son fossé d'amour qu'à devenir un démon qui la dévorerait dans ses nuits, cherchant le jour venu les signes de fatigue qui confirmeraient qu'il avait été de ses songes. En fait ce n'était pas Chancey, c'était quelque chose d'autre qui s'engouffrait vers elle et se nourrissait des silences et de la distance.

Chancey craignait que cette fatigue l'éloigne d'elle, petit à petit elle deviendrait lasse et perdrait le cœur à rire. Il cherchait à se souvenir de leurs premières rencontres. Il la regardait quelques instants puis fermait les yeux pour conserver son émotion. Elle avait vu qu'il l'aimait avant qu'il ne s'en rende compte. C'est ce qu'elle avait trouvé touchant. Elle finira par lui dire en lui tirant les cartes. Il en fut comme surpris, mais elle fut aussi troublée. Cette fois-là, comme elle commençait à couper de la main gauche, quelques cartes tombèrent sur la table.

Il écrivit : Notre vie, ce que l'on en fait, c'est tout ce qu'on a. D'aimer, on ne saurait mieux fouler tous les temps.

L'homme-luciole est captif de quelques sels d'argent. Son regard nous restitue son désir d'être. On se demande comment il avait vécu, sans même se douter qu'à cet instant il est encore là, passé l'épuisement. Car sa mort ne s'achève tant que dure son regard.

II – CHELOVEK

C'est ainsi que j'ai trouvé à mon tour l'homme-luciole. Voilà ce que nous nous sommes dit, au début je n'étais pas sûr de suivre la conversation :

Je suis venu pour me faire tailler les oreilles en pointe !

Excusez, je ne suis pas sûr que je vous comprends très bien, j'ai été surpris par la pluie.

Surtout ne vous excusez pas, il est vrai que les parapluies sont encombrants, à quoi bon peuvent-ils servir, ce sont des cadavres collés à votre jambe. Il considère un instant le fauteuil où la chatte s'est installée, et rajoute : – c'est une manie, des idées que je me fais. Asseyez-vous je vous prie. Nous avons tant de choses à nous dire, que ma propre voix me semble peu familière.

Je viens de laisser Mademoiselle Veen, elle vous

dit bonjour.

Ah ! - il continue, tirant sur les plis de son pantalon lourdement mouillé – Une journée à se noyer dehors, sans le soleil pour nous faire le bouche-à-bouche. Mais je n'y peux rien, c'est mon emploi du temps, nous devons caracoler ici et là, à fabriquer de vastes prétextes dans lesquels se loge tout autre chose. Alors j'essaie d'aller au devant, d'extraire quelque chose du magma, de le malmener tant et si bien qu'il finit par prendre forme. En fait, pour dire les choses plus précisément : malmener le magma tant et si bien qu'il donnera prise à notre inconscience, qu'il deviendra complice de cette inconscience qui nous veut tant occupés à vivre la petite histoire que l'on se raconte sur le moment que nous oublions de vivre le moment.

Sachez que cela en est risible, tous ces gens sensés qui croient en ce qui a le moins besoin qu'on y croit. Ils croient en la motte de terre qui n'a que faire de leur dévotion, ils ne mettent pas leur croyance dans le lendemain qui en a tant besoin. Dans ce rêve que j'ai fait dernièrement, je voyais des pommes de terre quelque peu fripées, avec de longs tubercules effilés comme des doigts de vieille dame. Je n'arrivais pas à les éplucher, elles s'agitaient aussitôt comme des doigts engourdis qui cherchent à retrouver leur vigueur.

Qu'est-ce que cela vous suggère ?

L'homme-luciole ne semble pas intéressé à donner son avis sur cette question, et comme d'habitude il préfère ignorer les choses tant que ne lui vient pas à l'esprit un propos assez éloquent. Parce que dans ce vaste univers il y a des questions que l'on ne peut résoudre une fois pour toutes, je dis ceci dans l'éventualité qu'il y ait d'autres questions.

Je pensais néanmoins à mon rêve, je me représentais les mains de Mademoiselle Veen, ses nombreuses bagues qui couraient librement sur ses doigts, qui couvraient ses mains plus minces avec l'âge. Voilà bien des mains qui sont laissées à elles-mêmes, qui traversent le temps sans témoin, pourtant on devrait les dévisager davantage que les visages. Ainsi Mademoiselle Veen prenait de sa main gauche une clochette qu'elle agitait doucement, pour dissiper les brumes que mon souvenir ne parvenait pas à dissiper. Sa main droite restait relevée sur le col de soie rouge de sa robe de chambre.

L'homme-luciole, que l'on appelait Chlok, avait de nombreuses fois assisté aux séances de Mademoiselle Veen, dans la petite pièce secrète de l'appartement parisien. À ces réunions la discrétion n'était pas seulement un souci de bienséance, elle était la forme même que prenait notre existence. La vie de chacun se déroule dans son monde, et dans son monde uniquement. C'est une folie de croire qu'il y a un monde commun qui nous relie tous, c'est en tout cas bien peu perspicace quant à la vie des autres et de la sienne.

Il y a notre monde à nous, tantôt déchiré, parfois intense, et le plus souvent inerte, dans lequel prend forme ce que nous appelons l'autre. Celui-ci s'y dépose déjà par la distance, l'indifférence – ou plutôt l'embrasement, tout ce qui nous fait sortir de nous-même, afin que nous puissions savoir ce que nous ressentons, savoir aussi ce que nous pensons. L'autre peut croire qu'il marche de long en large devant nous, il se persuade qu'il aura de tout temps cette réalité là. Il croit avoir quelque relation essentielle avec la forme dans laquelle il se présente à nous. Et nous accédons à son leurre. Nous tous réunis, le monde intermédiaire disparaît, nous en éprouvons fraîcheur et clarté, il n'y a plus que les absolus, et derrière les absolus, la Béance. Privés de nos vélléités habituelles, confrontés à nos absolus mis à nu, nous entrons dans la cage des fauves, chaque parole et chaque geste étant à chaque instant définitif.

Chlok, Scloky disait-on alors, semblait vouloir continuer tout seul cette cérémonie, il en avait fait une routine bien à lui, son fossé de solipsie. Vous semblez accablé, Scloky. Il vous faut ce continuel effort ? Il fit un drôle d'air parce que j'avais utilisé ce surnom d'une autre époque. Vous en parlez comme d'une responsabilité. Comme je suis là, j'ai des fourmis dans les jambes.

Écoutez, je vous mets au courant, on a déjà travaillé là-dessus avec Chancey. Ah tiens ! Oh, ça n'a débouché sur rien, et il n'y a pas eu de traces. Pourquoi ? Parce qu'il faut tout reprendre à zéro.

C'est ainsi qu'on a tout perdu,

– J'imagine que l'homme-luciole a été mis dans le coup. Il y a certainement du Chelovek là-dedans. À l'époque souvenez-vous, il y avait cette rumeur : l'homme sait quelque chose de fondamental, enfin quelque chose comme ça. Il ne fallait pas ébruiter ses impasses. Cette rumeur était devenue une conviction : nous sommes indestructibles parce que nous sommes intelligents. Nous savons où ça peut conduire !

– Non, je voudrais plutôt dégager mes conclusions. D'abord il y eut un déploiement, silencieux, un débordement incessant, – qui se serait révélé parfaitement illimité, s'il n'y avait des trous.

Des trous ? – Cklock se demande s'il doit me prendre au sérieux. Il agite la bouilloire, se renverse sur sa chaise les mains derrière la tête.

Je n'avais qu'à parler de façon calme et retenue.

Je risquais tout au plus un mouvement d'impatience. Oui des trous, enfin des accrocs dans l'Écheveau de Tout, je ne sais pas comment c'en est arrivé là. Nous avons aperçu la lueur d'une lisière violacée. Et puis – nous y sommes – il m'est apparu que cet Écheveau c'est la perspective même dans laquelle tout est jeté et se révèle monnayable pour les sens. Ainsi une question ne peut paraître telle qu'à l'intérieur d'un système de réponses sur lequel elle s'appuie lourdement. L'eau était bouillante, il s'en versait dans une tasse, je constatais qu'il était maintenant détendu, il avait sans doute craint, moi aussi j'avais craint. C'est lui qui continua – l'humanité a une façon erronée de poser ses questions et de régler ses problèmes, mais elle a si bien persisté dans son erreur que les conditions sont changées : elle fait partie du problème, maintenant démesuré. La question sur un lit de réponses c'est la conscience d'avoir une idée qui s'appuie sur une constellation d'idées. C'est le sentiment de comprendre qui s'appuie sur un dispositif complexe, ramifié, mobile, – que l'on appelle compréhension, où l'on croit comprendre quand on ne comprend pas, et vice-versa. Ainsi l'homme-luciole a-t-il travaillé de son côté, on s'est rencontré à mi-chemin. On ne peut résoudre un problème, on cherchera plutôt lui donner consistance, en repousser les contours pour se retrouver au milieu. Ainsi avons-nous conversé, chacun accompagnant l'autre dans son jeu.

– Tous ces gens que j'ai connus étaient plutôt des filons dans lesquels je ne manquais de m'engouffrer immédiatement pour peu que j'eus pour eux quelques admirations. Ainsi j'admirais Chancey, son projet me paraissait viable. Il a eu raison de pousser plus loin ce qu'il faisait, jusqu'au moment où il n'a pu raisonnablement tenir, alors – plutôt que d'abandonner – il en a fait sa camisole de force.

Chlov s'était adouci et regardait par la fenêtre, ce qu'il dit alors me surprit passablement, je ne me serais pas attendu à trouver chez lui des considérations de ce genre. Mais il m'annonça que Chancey, quelque part, travaillait encore là-dessus, qu'il nous attendait sur la ligne. Nous sommes restés un long moment sans rien nous dire. Je suis allé moi aussi me poster devant une fenêtre et je regardais dans la rue. Un camion, sur le trottoir d'en face, avait échappé une partie de sa cargaison, c'était un livreur de charbon, les sacs répandaient dans la rue en pente les boulets noirs abandonnés à l'ivresse d'un jeu nouveau.

– Chancey était de ceux qui creusent jusqu'à s'enterrer. Il avait postulé que la réalité venait prendre corps dans le système de nos interprétations à partir de la définition récursive que l'on s'en donne. Il suffit d'un élément de vérité, la conscience produisant des sous-copies d'elle-même, lesquelles travaillent sur les conditions mêmes de l'établissement des distinctions, le fond d'émergence de toutes nos différences.

Chancey avait une vénération sans limite pour l'homme-luciole. D'ailleurs il refusait à quiconque de prononcer son nom : personne ne semblait pouvoir le dire de façon satisfaisante. C'était tantôt Chlovek, ou Klov, ou Anclov. Ce qui lui faisait remettre en cause l'existence de l'homme-luciole, comment il est venu à le distinguer comme entité souveraine sur le fond diffus de sa conscience. L'illusion persistante qu'il y a du sens nous fait faire fausse route, on ne saurait toujours prévoir les ressauts du monde matériel, on ne saurait davantage parler du monde sans le personnifier quelque peu, vous voyez, sans lui prêter des intentions et des volontés, pensez-vous à quelqu'un en particulier ? C'est ainsi que je ne peux envisager le monde, enfin ce qui me sert de référent, sans ériger un mirage : celui de l'homme-luciole ? Vous pensiez à quelqu'un d'autre ? Peut-être à Chlov !

Oui Chlov, une montagne flottante. Sur les hauts pics on ne voit que les monts les plus élevés qui émergent d'une nappe épaisse de nuages. Il semble qu'en dessous il n'y a rien. Êtes-vous bien sûr ? Je pense que nous sommes immergés dans une épaisse nappe de sens, curieux, vous ne trouvez pas ? Et nous croyons que cette nappe soutient tout. En fait, moi je parlerais plutôt d'une transparence qui bien qu'impalpable serait la réalité dans laquelle sont « contenus » tous les objets et nous pensons sans exception que tous nos contemporains se comprennent et trouvent cette clarté dans leurs rapports. Nous préjugeons d'avance que le monde existe et que donc il y a cette vérité, nous ne pouvons ensuite qu'aller de déceptions en déceptions, nous interroger sur les douloureuses distorsions, les interminables malentendus.

Pouvez-vous donner un exemple précis ?

Certes, prenez l'idée que nous touchons les uns aux autres, que nous sommes toujours en contact.

Vous avez l'air très assuré de cela.

En fait ce n'est pas si simple. Je ne rentrerai pas dans l'explication du phénomène, mais je peux vous dire qu'il est pénible de ravaler cette illusion.

– Je ne suis pas sûr que je vous comprends très bien.

Chaque instant est le maître de tous les instants qui suivent.

Dans la plage offerte d'un instant, il découvrait mille ramifications nerveuses. L'instant s'étend si vaste que rien ne sombrerait dans l'oubli à son insu.

Étrange entreprise que celle-ci, qui consiste à retenir le quotidien assez longtemps, le surprendre dans son immobilité même – semble-t-il – pour en faire ressortir une texture du monde. Afin de repérer les points de suture qui permettent à la poussière de ne pas se laisser emporter par le flot du temps.

Ainsi, d'instant en instant, on se raconte à mesure. Sinon chaque geste, tout serait terriblement isolé, à mille lieues de tout autre geste, ne sera jamais à portée de l'occasion de marquer une différence.

Retenir le quotidien assez longtemps pour en faire apparaître l'architecture en pilotis. Décélérer le temps, en recueillir la pulsation, en arrêter l'échafaudage, puis l'accélérer indéfiniment jusqu'à l'horreur.

Dans la pièce il n'y avait que la lampe du fond d'allumée. Il l'avait mise par terre, derrière le grand canapé. Son empire jaunâtre, se déployant sur tout le mur, en faisait ressortir un léger relief. Derrière ce rideau de scène étrangement immobile, une scène fortement éclairée allait bientôt s'animer. D'ordinaire il ne laissait pas les choses aller plus loin.

Ce ne sont que des jeux de miroir où son imagination se mettait à divaguer, les murs de sa chambre rêvant ses rêves par reflets, dans les feux dansants de ses feux violets.

Sans y prendre garde, n'importe quoi le laisse stupéfait. Il y a un va-et-vient autour de lui dans lequel il ne compte pour rien. C'est l'ombre de mille choses qu'il laisse alors s'affairer autrement sans se soucier. Percutant les murs, leur imprimant des secousses répétées, la sonnerie du téléphone n'a plus rien de banal. Il laissa sonner un autre coup avant de décrocher. – Allô, dit-il, comme on prend son souffle et déploie tout le registre de sa voix pour se dire dans une fierté animale.

Tant de murs animés, tant d'ombres qui s'appesantissent, – une nappe enveloppe le cerveau, un bain protecteur dans lequel il flotte comme un cétacé dans une cuve fermée. C'est là qu'une valve avait dysfonctionné et l'avait submergé dans un déluge discret, pour ne lui laisser qu'une tête pleine d'eau ! Alors ses pensées se ressentaient d'une ondulation légère, lorsqu'il dodelinait de la tête peut-être. Comme s'il pouvait deviner derrière sa pensée une autre pensée qui flotte et le pense.

On ne prend pas assez la mesure de notre torpeur, ce moi détaché de la vie dans une auto-glorification spectrale ce serait soi ! Oui soi-même, avec un quotidien que ne rejoint jamais le drame de l'existence.

Tous se succèdent, prennent la relève de ceux qui précèdent, dans un même spectacle généreux que l'on appelle « humanité ». À chaque fois la coïncidence entre les locuteurs et ce qu'ils viennent nous dire est surprenante. Et cela ne tient pas seulement à ce que nous connaissons d'eux, quand la fiction prend sa revanche. Tout ceci coïncide mais ne saurait être joué qu'une seule fois. Chlov croyait coïncider étroitement avec ses pensées, ses paroles et ses actions, toutes choses qui s'accorderaient parfaitement entre elles. Il considérait son corps comme un abri à l'écart du monde, il croyait aussi accueillir le monde dans sa respiration mentale. Pourtant Chlok n'était que morceaux, pièces étouffées, *pas même un klok de chelovek*. Ce n'est pas assez de le dire, il disparaissait avec tous ses morceaux qui ne se trouvent pas.

FEUX VIOLETS

Mon néant ne me trompe pas : il est cause que l'Immense agit grand à travers moi.

Catharina Regina von Greiffenberg

Somniloques à Paris. Les bruits de la rue, le ciel très bas, mon attachement à cette ville, tout cela m'y faisait trouver une exténuation particulière dans l'attente du matin, la crainte de sa luminosité de cendre.

Feux violets dans une nuit illimitée
les enfants ressentent mieux que quiconque
le regard qui s'appuie sur leur nuque

Rosée sèche dans une nuit illimitée
éclats dispersés d'un soleil
sur un tapis de suie

Nous sommes gouttes prêtes à se fondre
les unes dans les autres
dès qu'elles se touchent.

Qui connait la vie pour juger comment un autre s'y tient ? Ne rien juger, mais s'abandonner à la torpeur sensuelle d'une matière qui remplit sommairement le vide.

Je peins des lignes d'horizon tumultueuses où les vagues de matières se précipitent. Surprendre le paysage l'instant avant qu'il ne se fige en paysage ?

Dans l'état crépusculaire de l'insomnie, je vois qu'une forme inscrite dans la nature rend celle-ci accessible aux sens. Les signes reconduisent vers cette forme qui offre déjà son contour. La main ne peut manquer de recopier l'image du corps qui l'habite. L'esprit ne peut manquer de recopier une image du monde qu'il fabule, il voit en toute chose l'extrémité d'un levier, sa périphérie immédiate et multitudineuse.

Seule la main touche à l'informe – elle a le néant au bout des doigts. Tandis que l'esprit, dès que le cercle se referme, entre dans tous les cercles. Ainsi nous travaillons et pensons selon des saisons inconnues.

La nuit étire longuement le jour, toute la nuit nous pouvons récapituler le jour et retrouver combien chaque moment paraissait pouvoir tout changer.

L'image de la disparition de soi est un portrait posthume. La pensée qui va au-delà n'est plus qu'un trouble du penser, dans l'impossibilité de se donner le théâtre d'elle-même. On veut forcener notre vie sans les signes, dans un monde anonyme.

L'insomnie est une veille initiatique de la mort

philosophale de soi : la nuit dissout les limites de l'être, je ne suis personne, je suis fou, je suis la vérité éblouie. La nuit répand sa luminosité de cendre. C'est une révolte de la vie animale, dans le monde inerte. Une conscience que chacun se refuse jusque dans l'épuisement. Dans le cri de la bête torturée il y a déjà l'agitation d'une conscience qui ne trouve pas son lit. Cette conscience vient se déposer en nous, le lendemain laisse un linceul de lucidité refusée sur tous les visages.

Chacun travaille à cheviller son désir d'être dans une masse sourde à demeure, dans une masse qui – tout d'un tenant – entraîne notre existence vers le bas et qui – dans son étalement – leste nos élans. Nous travaillons en tout lieu à instaurer une transparence pour contrer cette opacité. Lorsque nous butons contre la souffrance, dans ce moment nous sommes traversés, ainsi se répercute jusqu'à nous l'érosion stridente du sidéral, notre barbare agitation moléculaire, – jusqu'à notre infiniment moyen.

J'aime pourtant la nuit, lorsque le tambourinement distant d'un goutte à goutte repousse ses limites. Les regards, détachés des personnes et de leurs miroirs ne sont plus que des éclairs furtifs, striures d'obscurité dans l'irradieuse présence.

On ne parle que dans les mots des autres, à repétrir le matériau de tous les malentendus et de tous les lieux communs, – alors comment surprendre dans la pâte des mots un argile qui n'est pas recuit, sinon friable ?

Il y a des époques de durcissement, il y a aussi des

époques d'éclaircissement. Et puis je voudrais vérifier ceci : si le hasard est le même d'époque en époque.

On voit à regret les jours passer. Mieux vaut laisser le temps se perdre que se laisser capturer par un instant qui ne nous laissera plus nous échapper. Il suffit d'un instant pour que s'abatte le malheur, un instant qui trace un cercle de feu. Jour après jour nous nous redécouvririons attachés à cet instant, notre vie traçant un pauvre cercle alentour. Il faut laisser ces jours se dissiper dans leur clarté, abandonner au passé les noyaux d'obscurité dense par lesquels repasse la pensée et s'abîment les sens.

Comment glisser sur les jours, – sans s'y trouver rivé par le surplomb de l'immensité ? Notre appartenance à l'humanité nous condamne, parce que nous avons renoncé à son délire du réel. Seule l'irréalité nous travaillerait sous un jour nouveau, quand il n'y aurait rien au-delà, rien avec quoi coïncider, rien que le néant qui fore ses galeries en tout lieu avant de revenir s'inquiéter lui-même dans un scintillement froid.

Je ne sais si je dois détruire ce qui me ressemble trop et risque de se substituer à moi, ou détruire l'autre devant lequel je n'existe pas parce qu'il ne peut me reconnaître. Ou ne rien détruire.

Nous avons parfois des moments de grâce, instants de folie, qui nous permettent de vivre notre lucidité autrement.

Je cherche la nuit le répit sans fin pour le passage d'un glacier. Je veux rattraper le soir la journée trop vite passée. Je ne saurais céder que lorsque j'aurai tout épuisé. Quand tous les miens sont assoupis – je repose dans l'attente d'une conscience sans retour, d'une pensée qui – sans se ressaisir – serait quand même pensée et se précipite, lorsque la force de prendre le crayon et d'en tracer des sillons fait défaut.

Tout n'est que papier, encore papier, mais la tension d'être importe davantage. Se mettre à l'orée de soi-même pour y recueillir le surgissement des signes. Trouver en soi, dans l'eau d'un regard, une aurore du sens.

Nos première lectures, nos premières impressions sont les plus fortes. Vingt ans plus tard tout revient comme si l'afflux des images attendait que l'attention pour le présent se relâche, comme si ces moments – inachevés, vécus par un être inachevé, revenaient se graver définitivement dans la succession précipitée du présent. Le temps amortit et recueille tout ce qui n'aurait pas su, jusqu'ici, s'y loger.

Ayant peu à dire, le dire inlassablement, plutôt que de reprendre – avec plus de justesse croit-on – tout ce qui s'est dit.

Tout ce qui se dit est découpe et nœuds d'un silence que l'on retrouvera désormais dans les heures secrètes de la nuit. Il nous arrive parfois d'en retrouver les illuminations entre les pensées du jour, dans un déchirement d'obscurité qui nous semble vérité.

L'émotion nous coûte autant parce qu'elle est un

arrachement très pur que des siècles de culture n'ont pu ensevelir, un arrachement que nul semblant ne saurait remplacer.

Les battements du cœur sont des pas qui se rapprochent, tombent et se redressent dans un fossé du bout du monde.

Michael, angelus somniloquium

TABLE

PHOTOGRAPHIES

Page 9- Bain de Martine, rue De Lanaudière, Montréal. Le nain et la fée, rue des Abbesses, Paris 18e.

Page 21- NU INT GRAL, *Les Folie's Pigalle*, Paris 9e.

Page 33- *Hôtel Paradis* (superposition accidentelle), rue de Paradis, Paris 10e.

Page 45- *Cimetière Montmartre*, Paris 18e. Ruelle du Plateau Mont-Royal.

Page 51- Autographe de Francis Bacon, janvier 1977.

Page 65- Le sommeil spéculaire & Pupille au miroir, rue De Lanaudière, Montréal.

Page 71- Le strass noir, Long Beach, Long Island.

Page 77- Bertrand & Déborah à Fontainebleau. Reflets des hautes branches à l'Illier-Combray, chez Proust.

Page 81- *Amusement Park*, Long Beach, Long Island.

Ton sourire pare-brise, Mont Saint-Hilaire.

Page 87- Ton ombre hiératique, Long Beach, Long Island.

Page 113- Le singe ancêtre. *Musée d'Histoire Naturelle*, Palais Longchamp, Marseille. Cortège de pierre, *Cimetière Montmartre*, Paris 18e.

Page 125- Socle déserté, *Prussia Cove Manor*, Cornouailles. RESTAURANT, Longueuil.

Page 145- Lapereaux au café, Cavaillon. Lac Tapani, Sainte-Anne-du-Lac.

Page 155- Gisant de Jeanne de Bourbon, *Musée du Louvre*.

Page 175- Joker Ride, *Amusement Park*, Long Beach, Long Island.

Page 189- POST TENEBRAS LUX, Les Baux de Provence. *La Croix de Provence*, Montagne Sainte-Victoire.

Cet ouvrage
composé en caractères Bronte corps 13
a été achevé d'imprimer
sur les presses de l'imprimerie Des livres
et des copies inc. à Montréal
le 2 septembre deux mille quatre
pour le compte des ÉDITIONS TRAIT D'UNION